Pię...
w Po...

D1198762

DANIELLE STEEL

Pięć dni w Paryżu

*

tłumaczenie
Agnieszka Myśliwy

między
słowami

Tytuł oryginału
Five Days in Paris

Copyright © 1995 by Danielle Steel

Copyright © for the translation by Agnieszka Myśliwy

Fotografia na pierwszej stronie okładki
© MATTES Ren/hemis.fr/Flash Press Media

Opracowanie tekstu i przygotowanie do druku
Pracownia 12A

ISBN 978-83-240-2501-5

Między Słowami
30-105 Kraków, ul. Kościuszki 37
E-mail: promocja@miedzy.slowami.pl
Kraków 2014

Społeczny Instytut Wydawniczy Znak Sp. z o.o.
30-105 Kraków, ul. Kościuszki 37
Dział sprzedaży: tel. 12 61 99 569
Druk: Rzeszowskie Zakłady Graficzne SA, ul. Pogwizdów Nowy 662, Zaczernie

Nigdy nie trać nadziei,
a jeśli zdołasz,
znajdź w sobie odwagę,
by znów kochać.

d.s.

Pięć minut... pięć dni...
całe życie na zawsze odmienione
w jednej chwili.

Rozdział 1

Pogoda w Paryżu była wyjątkowo ładna, gdy samolot Petera Haskella lądował na lotnisku Charles'a de Gaulle'a. Maszyna od razu dokołowała do bramki i już kilka minut później Peter z aktówką w dłoni szedł przez terminal. Uśmiechał się lekko, podchodząc do stanowisk odprawy, pomimo upału i tłumu ludzi w kolejce przed nim. Peter Haskell uwielbiał Paryż.

Podróżował do Europy cztery, pięć razy do roku. Imperium farmaceutyczne, którym zarządzał, posiadało instytuty badawcze w Niemczech, Szwajcarii i Francji oraz ogromne laboratoria i fabryki w Anglii. Jego podróże zawsze były interesujące: wymieniał się pomysłami z członkami ekip badawczych i opracowywał nowe strategie marketingowe, co było jego mocną stroną. Tym razem jednak chodziło o coś więcej niż kolejna delegacja czy prezentacja nowego produktu. Przyleciał na narodziny „swojego dziecka". Vicotec. Marzenie jego życia. Vicotec miał odmienić losy i perspektywy ludzi chorych na raka. Miał dramatycznie ulepszyć programy leczenia podtrzymującego, a także samą naturę chemioterapii na świecie. Miał to być istotny wkład Petera w rozwój ludzkości. Przez ostatnie cztery lata poza rodziną żył tylko dla tego leku. Bez wątpienia miał też dzięki niemu zarobić miliony dla Wilson-Donovan. Miliony, a nawet więcej: ich prognozy już przewidywały zyski w pierwszych pięciu latach powyżej miliarda dolarów. Nie to jednak było celem Petera. Celem było życie, jakość życia tych, którzy gaśli niczym migoczące świece w mroku nowotworów. Vicotec miał im pomóc. Na początku wydawało się to idealistycznym snem, lecz teraz, gdy tylko centymetry dzieliły ich od ostatecznego zwycięstwa, Peter odczuwał dreszcz na każdą myśl o tym, co ma się wydarzyć.

Jak dotąd osiągali doskonałe rezultaty. Spotkania w Niemczech i Szwajcarii udały się wyśmienicie. Testy w tych laboratoriach były jeszcze bardziej rygorystyczne niż te wykonywane w Stanach. Zyskali pewność. Lek był bezpieczny. Byli gotowi do rozpoczęcia pierwszej fazy prób klinicznych na ludziach, gdy tylko FDA je zatwierdzi, co oznaczało podawanie niskich dawek leku wybranej liczbie dobrze poinformowanych ochotników, by sprawdzić, jak sobie poradzą.

Firma Wilson-Donovan złożyła podanie do FDA już w styczniu, wiele miesięcy temu, a bazując na aktualnych informacjach, miała zamiar poprosić komisję, by Vicotec został skierowany na szybką ścieżkę rejestracji i w rezultacie został wcześniej udostępniony, gdy tylko FDA przekona się, że lek jest bezpieczny, co Wilson-Donovan zamierzał udowodnić. Szybka ścieżka była stosowana w celu przyspieszenia różnych kroków do zatwierdzenia leku w przypadku, gdy ten miał być wykorzystywany w leczeniu chorób zagrażających życiu. W razie uzyskania zgody FDA zamierzali rozpocząć testy na grupie stu osób, które podpisały już odpowiednie zgody i znały potencjalne zagrożenia. Byli to ludzie tak rozpaczliwie chorzy, że terapia stanowiła ich jedyną nadzieję, o czym wiedzieli. Ludzie, którzy zgłaszali się do takich eksperymentów, czuli wdzięczność za każdą pomoc.

Firma chciała jak najszybciej rozpocząć testy kliniczne na pacjentach, dlatego tak istotne było dokładne zbadanie bezpieczeństwa Vicotecu przed przesłuchaniami przed komisją we wrześniu, by mógł on potem trafić na szybką ścieżkę. Peter miał całkowitą pewność, że testy zakończone właśnie przez Paula-Louisa Sucharda, kierownika laboratorium w Paryżu, potwierdzą dobre wiadomości, które uzyskał w Genewie.

– Wakacje czy sprawy służbowe, monsieur? – Oficer celny z obojętnością podbił paszport Petera i nawet nie podniósł głowy, gdy zerknął na zdjęcie. Peter miał niebieskie oczy i ciemne włosy, nie wyglądał na swoje czterdzieści cztery lata. Miał zdecydowane rysy twarzy, był wysoki, większość osób zgodziłaby się, że jest przystojny.

– Sprawy służbowe – odparł z dumą. Vicotec. Wiktoria. Zbawienie dla każdej istoty ludzkiej borykającej się z agonią chemioterapii i raka.

Gdy oficer oddał mu paszport, Peter podniósł torbę i wyszedł na zewnątrz, by znaleźć taksówkę. Był piękny, słoneczny czerwcowy dzień, nie miał już żadnych obowiązków w Genewie, przyleciał więc do Paryża dobę wcześniej. Kochał to miasto, wiedział, że tu z łatwością znajdzie sobie jakieś zajęcie, nawet gdyby miał to być tylko długi spacer nad Sekwaną. Może Suchard zgodzi się spotkać z nim wcześniej, niż zaplanowali, choć była niedziela. Był jeszcze wczesny ranek, nie miał dotąd czasu, by do niego zadzwonić. Suchard był bardzo francuski, bardzo poważny i bardzo sztywny. Peter postanowił zatelefonować do niego z hotelu i sprawdzić, czy Francuz ma czas i czy jest gotów przenieść spotkanie.

Peter nauczył się mówić po francusku przez te wszystkie lata, choć rozmowy z Suchardem prowadził w języku angielskim. Wiele osiągnął, odkąd opuścił Środkowy Zachód. Nawet dla oficerów celnych na lotnisku Charles'a de Gaulle'a było oczywiste, że Peter Haskell to człowiek ważny, inteligentny i wyrafinowany. Był chłodny, obyty i silny, emanował pewnością siebie. W wieku czterdziestu czterech lat zajmował stanowisko dyrektora jednej z największych firm farmaceutycznych na świecie. Nie był naukowcem, lecz specem od marketingu, tak jak Frank Donovan, prezes zarządu. Osiemnaście lat temu Peter Haskell poślubił córkę Franka.

Nie stanowiło to z jego strony „sprytnego kroku" ani nie zrobił tego z wyrachowania. Zdaniem Petera był to przypadek, zrządzenie losu, z którym walczył przez pierwsze sześć lat znajomości z nią.

Peter nie chciał poślubić Kate Donovan. Nie wiedział nawet, kim ona jest, gdy spotkali się na Uniwersytecie Michigan. Ona miała lat dziewiętnaście, on – dwadzieścia. Na początku była dla niego tylko śliczną blondynką z drugiego roku, którą poznał na imprezie, lecz już po dwóch randkach szalał za nią. Chodzili ze sobą od pięciu miesięcy, zanim ktoś się złamał i zasugerował, że postępuje bardzo mądrze, umawiając się ze śliczną, małą Katie. A potem ten ktoś to wyjaśnił. Kate była jedyną dziedziczką fortuny Wilson-Donovan, największej firmy farmaceutycznej w kraju. Peter był oburzony, zrobił Katie straszną awanturę za to, że mu nie powiedziała; przemawiały przez niego gniew i naiwność dwudziestolatka.

– Jak mogłaś?! Dlaczego mi nie powiedziałaś?! – krzyczał.

– O czym? Miałam cię ostrzec, kim jest mój ojciec? Nie sądziłam, że będzie cię to obchodzić.

Jego atak straszliwie ją zranił, przeraziła się, że ją zostawi. Wiedziała, jaki jest dumny i jacy biedni są jego rodzice. Wyznał jej, że dopiero w tym roku udało im się wykupić farmę mleczną, na której jego ojciec pracował przez całe życie. Farma była zadłużona po uszy i Peter ciągle się martwił, że zbankrutuje, a on będzie musiał rzucić szkołę i wrócić do domu, do Wisconsin, by im pomóc.

– Doskonale wiedziałaś, że będzie mnie to obchodzić. I co mam teraz zrobić?

Wiedział lepiej niż ktokolwiek, że nie mógłby rywalizować w jej świecie, że do niego nie należał i nigdy nie będzie, a Katie nie mogłaby mieszkać na farmie w Wisconsin. Widziała za dużo świata, była zbyt wyrafinowana, nawet jeśli nie zdawała sobie z tego sprawy. Prawdziwy kłopot polegał na tym, że i on od dawna nie odczuwał przynależności do swojego świata. Niezależnie od tego, jak bardzo starał się w domu być „jednym z nich", zawsze wyróżniało go coś wielkomiejskiego. Nienawidził życia na farmie jako dziecko, marzył, by pojechać do Chicago lub Nowego Jorku i stać się częścią świata biznesu. Nienawidził dojenia krów, grabienia siana i niekończącego się uprzątania obór. Przez lata po szkole pomagał ojcu na farmie mlecznej, którą ojciec w końcu kupił. Peter wiedział, co to oznacza. Ostatecznie będzie musiał wrócić do domu po ukończeniu nauki, by mu pomóc. Ta perspektywa go przerażała, lecz nie szukał drogi wyjścia. Wierzył, że człowiek ma swoje powinności, zobowiązania, które na siebie bierze, i musi je wypełniać, nie idąc na skróty. Zawsze był grzecznym chłopcem, jak mawiała jego matka, nawet jeśli oznaczało to trudności. Był gotów zapracować na wszystko, czego pragnął.

Gdy dowiedział się, kim jest Katie, związek z nią wydał mu się niewłaściwy. Niezależnie od tego, jaki był z nią szczery, wyglądało to właśnie jak łatwa droga ucieczki, szybki awans na sam szczyt, na skróty. Niezależnie od tego, jaka była śliczna, jak bardzo myślał, że ją kocha, wiedział, że nic nie może z tym zrobić. Z takim uporem powtarzał, że nie może jej wykorzystywać, iż zerwali dwa tygodnie po tym, jak się dowiedział, kim jest; nic, co mówiła, nie mogło wpłynąć na jego decyzję. Katie była zrozpaczona, a on o wiele bardziej nieszczęśliwy z powodu jej utraty, niż jej powiedział. Był to jego przedostatni rok nauki, w czerwcu pojechał do Wisconsin, by pomóc ojcu. Pod koniec lata postanowił przerwać naukę na dwa semestry i poświęcić ten czas na upewnienie się, że farma nie upadnie. Ostatnia zima była dla nich ciężka, a Peter był pewien, że zdoła zapobiec stratom, jeśli wdroży pomysły i plany, o których uczył się w college'u.

Mógłby to zrobić, lecz został powołany do wojska i wysłany do Wietnamu. Spędził rok w pobliżu Da Nang, a gdy zaciągnął się ponownie na drugą turę, odesłano go do pracy w wywiadzie w Sajgonie. Był to dla niego bardzo zagmatwany okres. Miał dwadzieścia dwa lata, gdy opuszczał Wietnam, i wciąż nie znalazł odpowiedzi, których poszukiwał. Nie wiedział, co chce robić przez resztę życia, nie chciał wracać do pracy na farmie, lecz był przekonany, że powinien. Jego matka zmarła, gdy był w Wietnamie, wiedział, jaki był to cios dla ojca.

Został mu jeszcze rok nauki w college'u, lecz nie chciał wracać na Uniwersytet Michigan, czuł, że z tego wyrósł. Miał też mieszane uczucia co do Wietnamu. Kraj, który pragnął znienawidzić, który tak go dręczył, zamiast tego pokochał i było mu naprawdę żal, gdy go opuszczał. Przeżył tam parę krótkich romansów, głównie z amerykańskimi wojskowymi i jedną bardzo piękną młodą Wietnamką, lecz wszystko to było bardzo skomplikowane, a związki te były nieuchronnie skażone faktem, że nikt tam nie spodziewał się dożyć jutra. Nigdy więcej nie skontaktował się z Katie Donovan, choć zawsze nosił przy sobie kartkę świąteczną od niej, którą przesłano mu z Wisconsin. Na początku często o niej rozmyślał w Da Nang, lecz łatwiej było mu do niej nie pisać. Co miałby jej powiedzieć? Wybacz, że ty jesteś taka bogata, ja taki biedny... życzę ci udanego życia w Connecticut, podczas gdy ja będę przerzucał łajno na farmie mlecznej do końca mojego... trzymaj się...?

Tuż po jego powrocie do Wisconsin dla wszystkich stało się jasne, że tam nie pasuje, nawet ojciec namawiał go, by poszukał zajęcia w Chicago. Bez trudu znalazł posadę w firmie marketingowej, poszedł do szkoły wieczorowej, uzyskał dyplom i właśnie miał zaczynać pracę, gdy poszedł na przyjęcie wydawane przez dawnego przyjaciela z Michigan, na którym wpadł na Katie. Przeniosła się i także mieszkała w Chicago, właśnie kończyła Northwestern. Gdy ją znów zobaczył, zaparło mu dech. Była jeszcze piękniejsza niż dawniej. Nie widzieli się od prawie trzech lat. Oszołomiła go świadomość, że nawet po tych trzech latach zmuszania się, by trzymać się od niej z daleka, jej widok wciąż przyprawiał go o dreszcze.

– Co ty tu robisz? – zapytał nerwowo, jakby miała prawo istnieć tylko we wspomnieniach jego studenckich dni. Nawiedzała jego myśli całymi miesiącami, po tym jak opuścił college, zwłaszcza tuż po wstąpieniu do armii. Już dawno temu zdołał relegować ją do przeszłości i oczekiwał, że tam właśnie zostanie. Przypadkowe spotkanie nagle przeniosło ją z powrotem do teraźniejszości.

– Kończę szkołę – odparła, wstrzymując oddech na jego widok. Wydał jej się wyższy i szczuplejszy, jego oczy były bardziej niebieskie, a włosy ciemniejsze, niż zapamiętała. Wszystko było w nim wyostrzone i bardziej podniecające niż jej niezliczone wspomnienia. Nigdy nie zapomniała. Był jedynym mężczyzną w jej życiu, który od niej odszedł z powodu tego, kim była, i przekonania, że nigdy nie będzie jej mógł niczego dać. – Podobno byłeś w Wietnamie – dodała cicho, na co przytaknął. – To musiało być straszne. – Tak bardzo się bała, że znów go wystraszy, popełni jakiś okropny błąd. Wiedziała, jaki jest dumny; widząc go, od razu zrozumiała, że nigdy się do niej nie zbliży.

On też na nią patrzył. Zastanawiał się, kim się stała i czego od niego chce. Wydawała mu się taka niewinna i niegroźna pomimo jej ewidentnie złowieszczego pochodzenia i zagrożenia, jakie sobą jego zdaniem przedstawiała. W jego oczach była dla niego zagrożeniem dla jego integralności, niemożliwą do utrzymania więzią pomiędzy przeszłością, którą nie mógł już żyć, a przyszłością, której pragnął, lecz nie miał pojęcia, jak ją zdobyć. Widział tyle świata od ich ostatniego spotkania, że gdy teraz na nią patrzył, nie mógł sobie przypomnieć, czego kiedyś tak się bał. Nie wydawała mu się już onieśmielająca, lecz raczej bardzo młoda, bardzo naiwna i nieodparcie atrakcyjna.

Rozmawiali tego wieczoru całymi godzinami, aż w końcu odwiózł ją do domu. A potem, choć wiedział, że nie powinien, zadzwonił do niej. Na początku wydawało mu się to takie proste, powtarzał sobie, że mogą być po prostu przyjaciółmi, w co żadne z nich nie uwierzyło. Pragnął być blisko niej. Była inteligentna, zabawna, rozumiała jego szalone przekonania o tym, że nigdzie nie pasuje i nie wie, co ma robić z życiem. Wiedział tylko, że kiedyś pragnie zmieniać świat lub chociaż odcisnąć na nim swoje piętno. Była jedyną osobą w jego życiu, która to rozumiała. Miał wtedy tyle marzeń, tyle dobrych intencji. Teraz, dwadzieścia lat później, dzięki Vicotecowi te marzenia miały się spełnić.

Wezwał taksówkę na lotnisku Charles'a de Gaulle'a, kierowca włożył jego torbę do bagażnika i skinął głową, gdy Peter podał mu cel. Wszystko w Peterze Haskellu zdradzało, że to mężczyzna u władzy, człowiek wielkiego formatu. Gdy jednak patrzyło się mu w oczy, dostrzegało się dobroć, siłę, ciepłe serce i poczucie humoru. Przedstawiał sobą coś więcej niż tylko dostrzegalne na pierwszy rzut oka doskonale skrojony garnitur, wykrochmalona biała koszula, krawat od Hermèsa i kosztowna aktówka.

— Gorąco, prawda? – zapytał Peter w drodze do centrum

Kierowca przytaknął. Poznał po jego akcencie, że to Amerykanin, lecz komunikat był na tyle poprawny, że odpowiedział mu po francusku, bardzo powoli, by Peter mógł go zrozumieć.

— Cały tydzień jest ładny. Przyleciał pan z Ameryki? – zapytał z zainteresowaniem.

Ludzie w ten sposób reagowali na Petera, przyciągał ich nawet wbrew ich woli. Fakt, że znał francuski, zaimponował kierowcy.

— Przyleciałem z Genewy – wyjaśnił Peter.

Gdy znów zapadła cisza, uśmiechnął się do siebie, myśląc o Katie. Zawsze chciał, by podróżowała z nim, lecz ona nigdy się nie zgodziła. Na początku dzieci były za małe, potem za bardzo wciągnął ją własny świat i miriady obowiązków. Przez te lata odbyła z nim jedną, może dwie podróże. Raz do Londynu i drugi raz do Szwajcarii, lecz nigdy do Paryża.

Dla niego Paryż był wyjątkowym miejscem, kulminacją wszystkiego, o czym marzył i nie wiedział nawet, że chciał. Latami ciężko pracował na to, co miał, choć mogło się wydawać, że część przyszła mu z łatwością. On wiedział najlepiej, że to nieprawda. W życiu nie ma nic za darmo. Pracujesz na to, co masz, lub kończysz z niczym.

Spotykał się z Kate przez dwa lata, po tym jak ją znów odnalazł. Została w Chicago po ukończeniu studiów, podjęła pracę w galerii sztuki, by być blisko Petera. Szalała na jego punkcie, lecz on z uporem powtarzał, że nigdy się nie pobiorą. Twierdził, że w końcu przestaną się spotykać, a wtedy ona powinna wrócić do Nowego Jorku i zacząć się umawiać z innymi mężczyznami. Nie zdołał się jednak zmusić, by z nią zerwać ani przekonać jej do tego. Byli już zbyt zaangażowani, nawet Katie wiedziała, że naprawdę ją kocha. Wtedy zainterweniował jej ojciec. Był mądrym człowiekiem. Nie poruszył z Peterem tematu ich związku, rozmawiali tylko o interesach. Instynktownie wyczuł, że to jedyna droga, by Peter zburzył swój mur. Frank Donovan pragnął powrotu córki i Petera do Nowego Jorku i zrobił, co mógł, by pomóc Katie go oczarować.

Tak jak Peter, Frank Donovan był specjalistą od marketingu, i to wybitnym. Odbył z Peterem rozmowę na temat jego kariery, planów życiowych, jego przyszłości, a że spodobało mu się to, co usłyszał, zaproponował mu pracę w Wilson-Donovan. Nie powiedział o tym Katie. Zapewnił Petera, że jego oferta nie ma nic wspólnego z nią. Przekonał go, że etat w Wilson-Donovan może sprawić cuda dla jego kariery, i zadeklarował, iż nikt nigdy nawet nie pomyśli, że miało to z nią związek. Ich romans, według Franka, był całkowicie oddzielną kwestią. Posada warta jednak była zastanowienia i Peter to wiedział. Miał obawy, lecz praca w wielkiej korporacji w Nowym Jorku była spełnieniem jego marzeń, tak jak Katie.

Dręczył się tym, rozważał ofertę bez końca, lecz nawet jego ojciec stwierdził, że to dobra decyzja, gdy Peter zadzwonił do niego, by to przedyskutować. Peter pojechał do domu na długi weekend, by osobiście to z nim omówić. Ojciec pragnął dla niego gwiazdki z nieba i zachęcał go, by przyjął ofertę Donovana. Dostrzegał w synu coś, czego wtedy Peter sam jeszcze nie rozumiał. Chłopak miał w sobie cechy przywódcy dostępne niewielu: spokój, siłę i niezwykłą odwagę. Ojciec wiedział, że czegokolwiek Peter się podejmie, będzie w tym dobry. Przeczuwał, że praca w Wilson-Donovan to dla niego dopiero początek. Gdy Peter był małym chłopcem, żartował z jego matką, że kiedyś zostanie prezydentem albo chociaż gubernatorem Wisconsin. Czasami w to wierzyła. Nietrudno było uwierzyć, że Petera czeka wspaniała przyszłość.

Jego siostra Muriel była tego samego zdania. Dla niej jej brat Peter zawsze był bohaterem, na długo przed Chicago czy Wietnamem, a nawet nauką w college'u. Było w nim coś wyjątkowego. Wszyscy to wiedzieli. Powiedziała mu to samo co ojciec: jedź do Nowego Jorku, sięgnij po swoje marzenie. Zapytała go nawet, czy ożeni się z Katie, lecz on upierał się, że nie; było jej przykro, gdy tego słuchała. Uważała Katie za wytworną i ekscytującą, jej zdaniem, pięknie wyglądała na zdjęciach, które nosił przy sobie Peter.

Ojciec już dawno namawiał go, by przywiózł Katie do domu, lecz Peter wciąż powtarzał, że nie chce budzić w niej złudnych nadziei co do ich przyszłości. Od razu poczułaby się jak w domu, nauczyłaby się od Muriel doić krowy i co wtedy?

Tylko tyle mógł jej dać, a nie było na świecie siły, która by go przekonała do wciągnięcia Katie w to ciężkie życie, w którym dorastał. Jego zdaniem to właśnie zabiło jego matkę. Zmarła na raka bez właściwej opieki medycznej i pieniędzy, by za nią zapłacić. Ojciec nie miał nawet ubezpieczenia. Peter był przekonany, że jego matka zmarła z biedy i zmęczenia oraz zbyt wielu trudów w życiu. Wiedział, że Katie ma pieniądze, lecz kochał ją zbyt mocno, by skazywać ją na taką egzystencję lub choćby pozwolić jej ją zobaczyć. Jego siostra miała dwadzieścia dwa lata i już wyglądała na wyczerpaną. Wyszła za mąż tuż po ukończeniu liceum, gdy on przebywał w Wietnamie, i w ciągu trzech lat urodziła troje dzieci chłopcu, który był jej szkolną miłością. Mając lat dwadzieścia jeden, wyglądała na pokonaną i smutną. Peter pragnął dla niej czegoś więcej, lecz gdy tylko na nią spojrzał, wiedział, że nigdy nie będzie tego mieć. Nigdy nie zdoła się wyrwać. Nie poszła nawet do college'u. A teraz była uwięziona. Wiedział, tak jak jego siostra, że ona i jej mąż będą pracować na farmie mlecznej ojca przez całe życie, chyba że ojciec straci farmę albo wcześniej umrą. Nie było innej drogi. Chyba że dla Petera. Muriel nawet go za to nie nienawidziła. Cieszyła się jego szczęściem. Spełniły się jego marzenia, pozostało mu już tylko wkroczyć na ścieżkę, którą pokazał mu Frank Donovan.

– Zrób to, Peterze – szepnęła do niego Muriel, gdy przyjechał na farmę, by z nimi porozmawiać. – Jedź do Nowego Jorku. Tatuś chce, żebyś jechał. Wszyscy chcemy.

Wszyscy powtarzali mu, by się ratował, by podjął decyzję, by uwolnił się od życia, które by go zniszczyło. Chcieli, by jechał do Nowego Jorku i odniósł sukces.

Czuł ucisk w gardle, gdy po tamtym weekendzie wyjeżdżał z farmy. Ojciec i Muriel odprowadzili go przed dom i machali mu, dopóki samochód nie zniknął za zakrętem. Jakby wszyscy troje wiedzieli, jaka to ważna chwila w jego życiu. Ważniejsza niż college. Ważniejsza niż Wietnam. W sercu i duszy przecinał więź z farmą.

Gdy wrócił wtedy do Chicago, spędził noc w samotności. Nie zadzwonił do Katie. Następnego ranka zatelefonował za to do jej ojca. Przyjął jego ofertę, czuł, jak drżą mu dłonie, gdy ściskał w nich słuchawkę.

Zaczął pracę w Wilson-Donovan dwa tygodnie później co do dnia i po przebudzeniu każdego ranka od przyjazdu do Nowego Jorku czuł się tak, jakby wygrał Kentucky Derby.

Katie pracowała w Chicago w galerii sztuki jako recepcjonistka; rzuciła pracę tego samego dnia co on i przeprowadziła się do Nowego Jorku, by zamieszkać z ojcem. Frank Donovan był zachwycony. Jego plan zadziałał. Jego mała córeczka wróciła do domu. A do tego znalazł błyskotliwego nowego marketingowca. Układ okazał się korzystny dla wszystkich stron.

W następnych miesiącach Peter koncentrował się raczej na karierze niż na romansie. Na początku irytowało to Katie, lecz gdy poskarżyła się ojcu, ten mądrze doradził jej, by była cierpliwa. W końcu Peter się rozluźnił, mniej się denerwował niedokończonymi projektami w biurze. Przede wszystkim pragnął robić wszystko doskonale, by nie zawieść nadziei pokładanych w nim przez Franka i okazać mu swoją wdzięczność.

Nie jeździł już nawet do domu do Wisconsin – nie miał na to czasu. Katie odetchnęła z ulgą, gdy zaczął natomiast znajdować w swoim grafiku miejsce na drobne rozrywki. Chodzili na przyjęcia i do teatru, przedstawiła go wszystkim swoim znajomym. Sam Peter był zdumiony, gdy uświadomił sobie, jak bardzo ich lubi i jak swobodnie czuje się w jej życiu.

W następnych miesiącach krok po kroku te cechy Katie, które go kiedyś przerażały, przestały go martwić. Jego kariera się rozwijała, ku jego zdumieniu nikt nie interesował się tym, gdzie był ani jak się tam znalazł. Wszyscy zdawali się go lubić i akceptować. Niesiony na fali dobrych przeczuć, zaręczył się z Katie po roku, co nie zaskoczyło nikogo, może z wyjątkiem samego Petera. Znał ją jednak już na tyle długo, by poczuć się swobodnie w jej świecie, poczuć, że do niego należy. Frank Donovan stwierdził, że tak miało być, a Katie się uśmiechnęła. Nigdy nawet przez chwilę nie wątpiła w to, że Peter jest dla niej odpowiedni. Zawsze to wiedziała, tak jak była absolutnie pewna, że pragnie zostać jego żoną.

Siostra Petera Muriel była zachwycona, gdy zadzwonił do niej z nowinami, ostatecznie tylko ojciec Petera wyraził swoje obiekcje co do tego związku, ku rozczarowaniu syna. Ojciec był przekonany, że praca w Wilson-Donovan to niezwykła szansa, i równie mocno oponował przeciwko małżeństwu. Był pewien, że pewnego dnia Peter gorzko tego pożałuje.

— Już zawsze będziesz dla nich najemnym robotnikiem, jeśli się z nią ożenisz, synu. To nie jest właściwe, nie jest sprawiedliwe, lecz tak po prostu jest. Ilekroć na ciebie spojrzą, będą sobie przypominać, kim byłeś na początku, a nie kim jesteś teraz.

Peter w to nie wierzył. Wrósł w jej świat. Teraz do niego należał. Jego świat zaczął mu się wydawać częścią innego życia. Nie była to już jego część, lecz kompletnie obcy twór. Jakby przez przypadek dorastał w Wisconsin albo jakby był to ktoś zupełnie inny, a nie on. Nawet Wietnam wydawał mu się bardziej prawdziwy teraz niż w pierwszych dniach po powrocie na farmę. Czasami trudno było mu uwierzyć, że spędził na niej ponad dwadzieścia lat. W nieco ponad rok stał się biznesmenem, człowiekiem światowym i nowojorczykiem. Rodzina nadal była mu droga, na zawsze miała taka pozostać, lecz na samą myśl o życiu farmera nawiedzały go koszmary. Na wszystkie sposoby starał się przekonać ojca, że postępuje słusznie, lecz nie zdołał. Haskell senior był nieustępliwy w swoim sprzeciwie, lecz ostatecznie zgodził się przyjechać na ślub, chyba tylko dlatego że był już zmęczony słuchaniem argumentów Petera.

Ostatecznie jednak ojciec na ślub nie przyjechał, co Petera zdruzgotało. Tydzień wcześniej miał wypadek na traktorze, musiał leżeć w łóżku z powodu bólu pleców i złamanej ręki, a Muriel miała właśnie rodzić swoje czwarte dziecko. Też nie przyjechała; jej mąż Jack nie chciał jej zostawiać, by przylecieć do Nowego Jorku. Z początku Peter czuł się porzucony, lecz w końcu, jak to się zazwyczaj działo w jego życiu, dał się porwać wirowi działań wokół siebie.

W podróż poślubną polecieli do Europy i przez wiele miesięcy po powrocie nie mieli czasu, by odwiedzić Wisconsin. Katie albo Frank zawsze mieli dla niego jakieś plany. Pomimo obietnic i dobrych intencji Peter i Katie nie zdołali odwiedzić jego rodziny na farmie. Peter obiecał jednak ojcu, że przyjadą na Boże Narodzenie i tym razem nic ich nie powstrzyma. Nie wspomniał żonie o tej rozmowie. Chciał ją zaskoczyć. Żywił podejrzenia, że to jedyny sposób, by ją tam zabrać.

Gdy jego ojciec dostał ataku serca i zmarł tuż przed Świętem Dziękczynienia, Peter pogrążył się w smutku i poczuciu winy. Żałował wszystkiego, czego nigdy nie zrobił, a co zamierzał. Ostatecznie Kate nawet nie poznała jego ojca.

Peter zabrał ją na pogrzeb. Była to ponura uroczystość w ulewnym deszczu; stali ramię w ramię odrętwiali. Peter był ewidentnie zdruzgotany, Muriel znajdowała się daleko od niego, szlochała u boku męża i dzieci. Byli osobliwą ilustracją kontrastu pomiędzy farmerami a ludźmi z miasta.

To wtedy Peter uświadomił sobie, jak bardzo się od nich oddalił, jak daleką odbył podróż po swoim wyjeździe, jak mało mieli teraz wspólnego. Katie źle się czuła w ich towarzystwie i nie omieszkała mu tego wytknąć. A Muriel była w stosunku do niej wyjątkowo chłodna, co nie było do niej podobne. Gdy Peter coś na ten temat napomknął, mruknęła niezręcznie, że Katie do nich nie pasuje. Była żoną Petera, lecz nawet nie poznała ich ojca. Miała na sobie kosztowny czarny płaszcz i futrzaną czapkę, wydawała się poirytowana, że musi tam być, co Muriel zauważyła ku rozgoryczeniu Petera. Pokłócili się o to, a potem się popłakali. Odczytanie testamentu poróżniło ich jeszcze bardziej. Ojciec zostawił farmę Muriel i Jackowi, a Kate widocznie się zdenerwowała, gdy tylko usłyszała o tym od prawnika.

– Jak mógł ci to zrobić? – krzyczała w zaciszu jego dawnej sypialni. Na podłodze leżało stare linoleum, jasnobrązowa farba na ścianach popękała i łuszczyła się. Całkowite przeciwieństwo domu, który Frank kupił dla nich w Greenwich. – Wydziedziczył cię! – piekliła się Kate, choć Peter próbował jej to wyjaśnić. Rozumiał to o wiele lepiej niż jego żona.

– To wszystko, co mają, Kate. To okropne, zapomniane przez Boga miejsce. To całe ich życie. Ja mam karierę, dobrą pracę, życie z tobą. Nie potrzebuję tego. Nawet bym tego nie chciał, a tata o tym wiedział. – Peter nie uważał tego ani za obrazę, ani za niesprawiedliwość. Chciał, by Muriel miała farmę. Farma była dla niej i Jacka wszystkim.

– Moglibyście ją sprzedać i podzielić się pieniędzmi, a wtedy oni mogliby kupić sobie coś lepszego – zauważyła rozsądnie, co jeszcze bardziej uwidoczniło Peterowi jej brak zrozumienia.

– Oni by tego nie chcieli, Kate, tego właśnie tata zapewne się obawiał. Nie chciał, byśmy sprzedali farmę. Całe życie na nią pracował.

Nie powiedziała mu, jaka to katastrofa jej zdaniem, lecz czytał to w jej oczach, gdy na niego patrzyła, i w milczeniu, które pomiędzy nimi narastało. Zdaniem Kate farma była jeszcze gorsza niż w opowieściach Petera w college'u, cieszyła się, że już nigdy nie będą musieli na nią przyjeżdżać. Ona nie zamierzała tu wracać. A jeśli miała coś do powiedzenia na ten temat, Peter też miał już tego nigdy nie zrobić, nie po tym, jak ojciec go wydziedziczył. Dla niej Wisconsin należało już do odległej przyszłości. Peter miał ruszyć dalej.

Muriel była zdenerwowana, gdy wyjeżdżali, Peter miał nieprzyjemne uczucie, że żegna się na zawsze nie tylko z ojcem, ale i z nią. Jakby odgadł życzenie Kate, mimo iż nigdy wprost go nie wypowiedziała. Żona pragnęła, by wszystkie więzi łączyły go z nią, jego korzenie, relacje, lojalność i uczucie. Była chyba zazdrosna o Muriel, o tę część jego życia i historii, którą reprezentowała jego siostra, a nieotrzymanie udziałów w farmie okazało się dobrą wymówkę, by z tym wszystkim skończyć.

– Dobrze postąpiłeś, wyjeżdżając stąd – powiedziała cicho, gdy odjeżdżali; wydawała się nie dostrzegać, że Peter płacze. Chciała tylko wrócić do Nowego Jorku najszybciej, jak to możliwe. – Peterze, ty tu nie pasujesz – oświadczyła stanowczo.

Pragnął zaprotestować, powiedzieć jej, że się myli, wstawić się za nimi z poczucia lojalności, tyle że wiedział, iż żona ma rację, i czuł z tego powodu wyrzuty sumienia. Nie pasował tam. Nigdy.

Gdy wsiadali do samolotu w Chicago, ogarnęła go ulga. Znów uciekł. Podświadomie obawiał się, że ojciec zostawi mu farmę, oczekując, że Peter ją poprowadzi. Ojciec okazał się jednak mądrzejszy, dobrze znał syna. Peter nie miał już teraz z farmą nic wspólnego. Nie posiadał jej, nie mogła go pochłonąć, jak się obawiał. Nareszcie był wolny. Teraz był to problem Jacka i Muriel.

Gdy samolot oderwał się od ziemi i skierował ku lotnisku Kennedy'ego, Peter poczuł, że zostawia za sobą farmę i wszystko, co reprezentowała. Miał tylko nadzieję, że za jednym zamachem nie stracił też siostry.

Milczał przez cały lot powrotny, a w kolejnych tygodniach w ciszy opłakiwał ojca. Nie rozmawiał o tym z Kate, głównie dlatego, że miał przeczucie, iż ona nie chce tego słuchać. Zadzwonił do Muriel raz czy dwa, lecz ta zawsze była zajęta dziećmi albo właśnie szła pomóc Jackowi w codziennych obowiązkach. Nie miała czasu, by z nim rozmawiać, a gdy już rozmawiali, Peterowi nie podobały się jej komentarze na temat Katie. Jej otwarty krytycyzm w stosunku do jego żony był powodem ostatecznego rozłamu pomiędzy nimi, po jakimś czasie przestał dzwonić. Pogrążył się w pracy, pocieszenie odnalazł w tym, co się działo w biurze. Tam czuł się jak w domu. W zasadzie całe jego życie w Nowym Jorku wydawało mu się doskonałe. Wpasował się w firmę, we wspólnych przyjaciół, w życie towarzyskie, które stworzyła dla nich Katie. Było niemal tak, jakby się do tego urodził i nigdy nie miał innego życia.

Dla przyjaciół z Nowego Jorku był jednym z nich. Był gładki, wyrafinowany, ludzie wybuchali śmiechem, gdy mówił, że dorastał na farmie. Zazwyczaj nikt mu nie wierzył. Wydawał się raczej bostończykiem albo rodowitym nowojorczykiem. Ze spokojem godził się na ustępstwa, których oczekiwali po nim Donovanowie. Frank nalegał, by zamieszkali w Greenwich w stanie Connecticut, tak jak on. Chciał mieć „swoje dziecko" blisko, a poza tym Katie przywykła do tego miasta, lubiła je. Wilson-Donovan miało siedzibę w Nowym Jorku, mieli tam mieszkanie, lecz Donovanowie zawsze mieszkali w Greenwich, o godzinę jazdy od Nowego Jorku. Dojazd był dobry, Peter codziennie jeździł z Frankiem pociągiem. Kochał mieszkać w Greenwich, kochał ich dom, kochał być mężem Katie. Zazwyczaj wspaniale się dogadywali, ich największym nieporozumieniem było przekonanie Katie, że mąż odziedziczy farmę i sprzeda ją. Szybko jednak przestali się o to kłócić, pozostając przy swoich przeciwstawnych opiniach.

Niepokoiło go tylko to, że to Frank kupił dla nich ich pierwszy dom. Próbował oponować, lecz nie chciał denerwować Katie. A ona błagała, by pozwolił ojcu to zrobić. Peter narzekał, lecz ostatecznie to ona wygrała. Pragnęła dużego domu, by mogli szybko założyć rodzinę, a Petera z pewnością nie byłoby stać na taki standard, do jakiego ona przywykła i w jakim powinna mieszkać zdaniem ojca. Takich właśnie problemów Peter się obawiał. Donovanowie załatwili jednak wszystko z ogromnym taktem. Jej ojciec nazwał piękny dom w stylu Tudorów „prezentem ślubnym". Zdaniem Petera była to prawdziwa posiadłość. Na tyle duża, by pomieścić troje lub czworo dzieci, z pięknym tarasem, jadalnią, salonem, pięcioma sypialniami, ogromnym gabinetem dla niego, pokojem rodzinnym i cudowną wiejską kuchnią. W niczym nie przypominała odrapanego starego domu na farmie, który ojciec zostawił w Wisconsin. Peter z zakłopotaniem przyznawał, że kochał ten dom.

Ojciec Katie chciał także zatrudnić kogoś do sprzątania i gotowania dla nich, lecz tu Peter wyznaczył granicę i oświadczył, że sam będzie gotować, jeśli będzie musiał, lecz nie pozwoli Frankowi zatrudnić dla nich pomocy. Ostatecznie Katie nauczyła się gotować. Około Bożego Narodzenia miała już jednak tak gwałtowne poranne mdłości, że niczego nie była w stanie robić, i to Peter przejął obowiązki domowe. Nie miał nic przeciwko temu, szalał z radości na myśl o dziecku. Uznał to za swego rodzaju mistyczną wymianę, wyjątkowy rodzaj pocieszenia po stracie ojca, która wciąż bolała go bardziej, niż był w stanie przyznać.

Był to początek szczęśliwego, owocnego osiemnastoletniego okresu ich życia. W pierwszych czterech latach Katie urodziła trzech chłopców, po czym zapełniła życie komitetami dobroczynnymi, stowarzyszeniami rodziców i obowiązkami matki, które uwielbiała. Chłopcy mieli tysiące różnych zajęć, piłkę nożną, bejsbol, pływanie; w końcu Katie postanowiła wziąć udział w wyborach do rady szkoły w Greenwich. Zaangażowała się w życie ich społeczności, troszczyła się o światową ekologię i milion spraw, o których Peter wiedział, że powinien się nimi interesować, lecz tego nie robił. Lubił mawiać, że Katie angażuje się w problemy globalne za nich oboje. On starał się tylko świetnie sobie radzić w pracy.

O tym Katie również dużo wiedziała. Jej matka zmarła, gdy Katie miała trzy lata, dziewczyna dorastała więc, bezustannie towarzysząc ojcu. Doskonale orientowała się w funkcjonowaniu jego firmy i nie zmieniło się to po jej ślubie z Peterem. Bywały sytuacje, kiedy dowiadywała się o różnych sprawach jeszcze przed mężem. A jeśli dzielił się z nią jakimiś nowinami, zawsze ze zdumieniem uświadamiał sobie, że dla niej to już nie są nowiny. Wywoływało to pomiędzy nimi pewne konflikty, lecz Peter był gotów zaakceptować pozycję Franka w ich życiu. Więź Katie z ojcem była o wiele silniejsza, niż na początku podejrzewał, lecz nie widział w tym niczego złego. Frank był porządnym człowiekiem, wiedział, jak daleko może się posunąć w swoich opiniach. Przynajmniej tak myślał Peter, dopóki Frank nie spróbował narzucić im przedszkola dla syna. Tym razem Peter zaoponował i nie ustępował do czasów liceum, przynajmniej próbował. Zdarzały się jednak sytuacje, w których ojciec Katie pozostawał niewzruszony, a Petera irytowało to, że Katie staje po stronie Franka, choć zazwyczaj starała się wyrażać bardzo dyplomatycznie, gdy powtarzała jego opinie.

Więź Katie z Frankiem była bardzo silna, córka zgadzała się z ojcem o wiele częściej, niż chciałby tego Peter. Był to dla niego jedyny problem w ich poza tym szczęśliwym małżeństwie. Życie obdarzyło go tyloma błogosławieństwami, iż czuł, że nie ma prawa narzekać na okazjonalne potyczki z teściem. Gdy patrzył na swoje życie, te dobre strony przeważały znacznie nad bolączkami i ciężarami.

Jedyną prawdziwą tragedią w jego życiu była śmierć jego siostry na raka w wieku dwudziestu dziewięciu lat. Muriel umarła tak jak matka, lecz o wiele młodziej. Tak jak matki nie było jej stać na przyzwoite leczenie. Byli z mężem zbyt dumni, by zadzwonić do Petera i mu o tym powiedzieć. Była już u progu śmierci, gdy Jack w końcu zatelefonował; Peterowi pękło serce na jej widok, gdy poleciał do Wisconsin, by ją odwiedzić. Zmarła kilka dni później. Nie minął rok, a Jack sprzedał farmę, ożenił się ponownie i przeprowadził do Montany. Przez całe lata Peter nie wiedział, dokąd Jack wyjechał ani co stało się z dziećmi Muriel. A gdy w końcu Jack się do nich odezwał, Kate oświadczyła, że już zbyt wiele wody upłynęło, i zasugerowała, że powinien sobie odpuścić i zapomnieć o nich. Peter przesłał Jackowi pieniądze, o które ten prosił, lecz nigdy nie pojechał do Montany, by zobaczyć dzieci Muriel. Wiedział, że nawet by go nie poznały. Miały nową matkę, nową rodzinę; Jack zadzwonił tylko dlatego, że potrzebował pieniędzy. Nie żywił żadnych uczuć do brata zmarłej żony ani Peter do niego, choć Peter pragnął jedynie zobaczyć siostrzeńców i siostrzenice. Był jednak zbyt zajęty, by wybrać się do Montany, a poza tym byli oni poniekąd częścią innego życia. Łatwiej było postąpić tak, jak chciała Kate, i zapomnieć o nich, mimo iż Petera dręczyło poczucie winy, ilekroć o nich pomyślał.

Miał własne życie, własną rodzinę, o której musiał myśleć, własne dzieci, które pragnął chronić i za które staczał bitwy. Prawdziwa wojna wybuchła cztery lata temu, gdy ich najstarszy syn Mike szedł do liceum. Jak świat światem każdy Donovan uczęszczał do Andover i Frank uznał, że i Mike powinien, a Katie się z nim zgodziła. Peter się sprzeciwił. Nie chciał odsyłać Mike'a do szkoły, wolał, by mieszkał w domu do dnia rozpoczęcia nauki w college'u. Tym razem jednak Frank postawił na swoim. Decydujący głos należał do Mike'a, a matka i dziadek przekonali go, że jeżeli

nie pójdzie do Andover, nigdy nie dostanie się do przyzwo-
itego college'u, a co dopiero do szkoły biznesu, i straci jakąkolwiek możliwość znalezienia dobrej pracy w przyszłości,
a w międzyczasie nie nawiąże żadnych cennych znajomości.
Peter uznał to za śmieszne, zauważył, że sam uczęszczał na
Uniwersytet Michigan, naukę kończył wieczorowo w Chicago, nigdy nie studiował w szkole biznesu i nie słyszał nawet o Andover, gdy dorastał w Wisconsin.

— I całkiem nieźle sobie poradziłem — skwitował
z uśmiechem. Stał na czele jednej z najważniejszych korporacji w kraju.

Całkowicie nie był przygotowany na odpowiedź Mike'a.

— Tak, ale ty wżeniłeś się w pieniądze, tato. To co innego.

Był to najgorszy cios, jaki mógł mu zadać syn. Mike
chyba zauważył, jak mocno go zranił, bo szybko wyjaśnił,
że nie to miał na myśli i że dwie dekady temu wszystko musiało być „inne". Obaj jednak mieli świadomość, że tak nie
było. Ostatecznie Mike poszedł do Andover i teraz, tak jak
dziadek, przygotowywał się do rozpoczęcia nauki w Princeton jesienią. Paul także był już w Andover i tylko Patrick,
najmłodszy, przebąkiwał coś o zostaniu w domu na czas
liceum lub zdawaniu do Exeter tylko po to, by robić coś
innego niż bracia. Miał jeszcze rok na przemyślenia, często mówił o szkole z internatem w Kalifornii. Było to coś,
co Peter pragnął zmienić, lecz wiedział, że nie może. Wy-
prowadzka z domu na czas nauki w liceum była tradycją

Donovanów, z którą się nie dyskutowało. Nawet Kate, tak mocno związana z ojcem, uczęszczała do Miss Porter. Peter wolałby zatrzymać dzieci w domu, lecz uważał za niewielki kompromis utratę ich towarzystwa na kilka miesięcy w zamian za świetną edukację. To nie ulegało wątpliwości. Frank zresztą powtarzał często, iż chłopcy zawierają tam istotne przyjaźnie, które potrwają całe życie. Trudno było się z tym sprzeczać i Peter tego nie robił. Ogarniała go jednak samotność, gdy synowie co roku wyjeżdżali. Kate i chłopcy byli jego jedyną rodziną. Wciąż tęsknił za Muriel i rodzicami, choć nigdy nie przyznałby się do tego żonie.

Jego życie toczyło się w tych latach w imponującym tempie. Stał się ważnym człowiekiem. Zrobił błyskotliwą karierę. W związku z tym przeprowadzili się do większego domu w Greenwich, gdy już było go stać na samodzielny zakup. Tym razem nie miał zamiaru przyjmować domu od Franka. Kupił piękną posiadłość o powierzchni dwóch i pół hektara w Greenwich. Sam wolał miasto, lecz wiedział, jakie to ważne dla Katie, by tam zostać. Mieszkała w Greenwich przez całe swoje życie. Miała tam przyjaciół, odpowiednie szkoły podstawowe dla ich dzieci, komitety, na których jej zależało, ojca. Uwielbiała mieszkać blisko niego. Miała oko na jego dom w tygodniu, a w weekendy często oboje jeździli do niego, by dyskutować o sprawach rodzinnych, interesach lub rozegrać przyjacielski mecz tenisa. Katie często go odwiedzała.

Latem jeździli na Martha's Vineyard, by również być blisko niego. Miał tam od lat wspaniałą posiadłość, Haskellowie nabyli nieco skromniejszą niedaleko, lecz tu akurat Peter zgadzał się z Kate: było to wspaniałe miejsce dla dzieci, naprawdę kochał ten dom. Wyspa była dla niego wyjątkowym miejscem i gdy tylko okazało się, że stać go, by coś na niej kupić, wymógł na żonie, by rozstała się z domkiem, który wynajmował im jej ojciec na terenie swojej posiadłości, i kupił jej uroczy domek na końcu drogi. Chłopcy ogromnie się ucieszyli, gdy Peter zbudował im domek zabaw, do którego mogli zapraszać kolegów, co czynili bezustannie. Przez długie lata Peter i Kate byli otoczeni dziećmi, zwłaszcza na wyspie. W ich domu zawsze stacjonowało dodatkowe pół tuzina. Wiedli spokojne, wygodne życie i choć od czasu do czasu Peter szedł na kompromis w kwestiach rodzinnych, na przykład co do tego, gdzie i jak będą mieszkać i czy chłopcy pojadą do szkół z internatem, wiedział też, że nigdy nie poświęcił swych zasad ani integralności, a w interesach Frak dawał mu wolną rękę. Peter wpadał na genialne pomysły, które miały natychmiastowy pozytywny wpływ na firmę i przynosiły zyski, o jakich Frankowi się nawet nie śniło. Sugestie Petera były bezcenne, jego decyzje śmiałe, lecz pewne. Frank doskonale wiedział, co robi, gdy go zatrudniał, i potwierdził to, czyniąc go dyrektorem Wilson-Donovan, gdy jego zięć skończył trzydzieści dziewięć lat. Od samego początku Peter doskonale zarządzał firmą. Od tego dnia minęło siedem lat, z czego cztery poświęcili na opracowywanie Vicotecu, leku szalenie kosztownego, lecz bezdyskusyjnie genialnego. Było to od początku dziecko Petera, to on zadecydował, by kontynuować badania, i przekonał do tego Franka. Oznaczało to ogromną inwestycję, lecz obaj zgodzili się, że warto ją podjąć na dłuższą metę. Peter widział w tym dodatkowy plus. Było to spełnienie jego życiowego marzenia o pomaganiu ludzkości w pełnym chciwości, egoizmu i prozaicznym świecie biznesu. Głównie jednak za względu na pamięć o matce i Muriel chciał, by Vicotec zaistniał najszybciej, jak to tylko możliwe. Ten produkt mógłby ocalić ich życie lub przynajmniej je przedłużyć. Peter chciał ratować innych, podobnych do nich. Ludzi na farmach, wsiach i w miastach wykluczonych przez ubóstwo i okoliczności, które ich zabijały bez tego leku.

Znów zaczął rozmyślać w taksówce o tym i o spotkaniach, jakie odbywał w całej Europie w tym tygodniu. Sama świadomość tego, jak daleko zaszli z Vicotekiem, stanowiła dla niego nagrodę. Gdy samochód pędził ku Paryżowi, zaczął żałować, jak zwykle, że Kate nie poleciała z nim.

Uważał Paryż za miasto doskonałe. Na jego widok oddech wiązł mu w gardle, a puls przyspieszał. Przyjechał tu w interesach po raz pierwszy piętnaście lat temu i już wtedy poczuł się tak, jakby został zesłany na ziemię tylko po to, by go zobaczyć. Przyleciał do Paryża sam w święto narodowe i wciąż pamiętał przejażdżkę przez Pola Elizejskie ku Łukowi Triumfalnemu, na którym powiewała na wietrze francuska flaga. Zatrzymał samochód, wysiadł, stanął na chodniku i patrzył na nią, ze wstydem uświadomiwszy sobie, że płacze.

Katie żartowała, że w poprzednim życiu musiał być Francuzem, skoro tak kocha Paryż. To miasto wiele dla niego znaczyło, lecz sam nie był pewien czemu. Było w nim coś niewiarygodnie pięknego i potężnego. Nigdy źle się tu nie bawił. Wiedział, że tym razem nie będzie inaczej. Pomimo raczej lakonicznego stylu Paula-Louisa Sucharda czuł, że spotkanie z nim następnego dnia musi się wiązać ze świętowaniem.

Taksówka mknęła w południowym ruchu pojazdów, mijając po drodze znane Peterowi budynki, jak Les Invalides i Opera; chwilę później wjechali na plac Vendôme, a Peter poczuł się niemal tak, jakby wracał do domu. Pośrodku stała kolumna z pomnikiem Napoleona; mrużąc oczy, można było sobie z łatwością wyobrazić przejeżdżające przez plac powozy z herbami na bokach wiozące francuską szlachtę w białych perukach i satynowych bryczesach. Na myśl o malowniczym absurdzie tego obrazka Peter uśmiechnął się, gdy taksówka zatrzymała się przed hotelem Ritz, a odźwierny podbiegł, by otworzyć drzwi. Rozpoznał Petera, tak jak rozpoznawał chyba wszystkich przybywających gości, i dał sygnał boyowi hotelowemu, by ten wziął jedną sztukę bagażu, podczas gdy Peter płacił za taksówkę.

Fasada Ritza była zaskakująco skromna, wyróżniały go tylko markizy, niemal ginął w otoczeniu imponujących wystaw Chaumet i Boucheron z błyszczącymi klejnotami, Chanel na rogu i JAR, luksusowego jubilera, którego nazwa oznaczała inicjały jego założyciela Joela A. Rosenthala. Hotel Ritz był bez wątpienia jednym z najważniejszych obiektów na placu Vendôme; zdaniem Petera, żaden Ritz na świecie się do niego nie umywał. Stanowił przykład szczytu dekadencji i luksusu, oferował swoim gościom wszystkie wygody w jednolitym stylu. Peter czuł wyrzuty sumienia, gdy się w nim zatrzymywał podczas podróży służbowych, lecz za bardzo go pokochał przez te lata, by zamieszkać gdzie indziej. Był to niespotykany element fantazji w jego zazwyczaj całkowicie racjonalnym i podporządkowanym rozsądkowi życiu. Kochał subtelność, elegancję, wyjątkowe wnętrza, przepyszne piękno brokatów na ścianach, urodę zabytkowych kominków. Gdy tylko przekroczył obrotowe drzwi, poczuł dreszcz podniecenia.

Ritz nigdy go nie rozczarowywał, nigdy nie zawodził. Był niczym piękna kobieta, którą czasami się odwiedza, czekał na niego za każdym razem z otwartymi ramionami, ułożonymi włosami, perfekcyjnym makijażem, jeszcze bardziej czarujący niż podczas ich ostatniego spotkania.

Kochał Ritza niemal równie mocno, jak kochał Paryż. Była to część magii i uroku miasta; gdy tylko minął obrotowe drzwi, natychmiast powitał go konsjerż w liberii, by odprowadzić go po dwóch stopniach do recepcji. Nawet oczekiwanie na meldunek było świetną zabawą. Uwielbiał obserwować tu ludzi. Po jego lewej stał przystojny starszy mężczyzna z Ameryki Południowej z uderzająco piękną młodą kobietą w czerwonej sukience u boku. Rozmawiali ze sobą szeptem po hiszpańsku. Jej włosy i paznokcie były nieskazitelne, miała ogromny diament na palcu lewej dłoni. Podniosła głowę i uśmiechnęła się do niego. Uznała go za wyjątkowo atrakcyjnego mężczyznę, nic w jego wyglądzie nie zdradzało, że urodził się na farmie. Wyglądał na to, kim był: zamożnym, potężnym człowiekiem, obracającym się w kręgach elit i tych, którzy kierowali światowymi imperiami. Swoją postawą zdradzał siłę i wysoką pozycję, a jednak było w nim coś pociągającego, coś delikatnego i młodzieńczego w jego bezdyskusyjnie przystojnej twarzy. Gdy ktoś przyjrzał mu się bliżej, dostrzegał więcej: intrygujący wyraz jego oczu, którego ludzie nie zauważali lub nie chcieli zauważyć. Peter miał w sobie miękkość, dobroć, rodzaj empatii rzadko spotykanej u ludzi na szczycie. Nie to widziała jednak kobieta w czerwonej sukience. Zauważyła krawat od Hermèsa, silne, zadbane dłonie, aktówkę, angielskie buty, doskonale skrojony garnitur; musiała się zmusić, by znów spojrzeć na swojego towarzysza.

Po drugiej stronie Petera stali trzej dobrze ubrani starsi Japończycy w ciemnych garniturach, wszyscy palili papierosy i dyskutowali cicho. Towarzyszył im młody mężczyzna z obsługi hotelu, konsjerż przemówił do nich po japońsku;

Peter odwrócił się, wciąż czekając na swoją kolej, gdy dostrzegł przy drzwiach poruszenie: wyszli z nich czterej potężnie wyglądający ciemnoskórzy mężczyźni, za nimi jeszcze dwaj podobni, a potem niczym wystrzelone przez automat z gumami do żucia pojawiły się trzy bardzo atrakcyjne kobiety w jaskrawych kostiumach Diora. Miały na sobie ten sam fason kostiumu w różnych kolorach, lecz bardzo się od siebie różniły. Tak jak Hiszpanka stojąca obok Petera, były nieskazitelne, miały perfekcyjnie ułożone włosy. Wszystkie miały na szyjach i w uszach diamenty, jako grupa robiły piorunujące wrażenie. Sześciu towarzyszących im ochroniarzy natychmiast ich otoczyło, tak jak starszego, bardzo dystyngowanego Araba, który pojawił się w drzwiach zaraz za nimi.

– Król Khaled... – usłyszał Peter szept – a może to jego brat... wszystkie trzy żony... zostają tu na miesiąc... Wynajęli całe czwarte piętro z widokiem na ogrody...

Był to władca małego arabskiego kraju; gdy w końcu wszyscy weszli do lobby, Peter naliczył ośmiu ochroniarzy i całą masę ludzi, którzy szli ich śladem. Natychmiast podszedł do nich jeden z konsjerżów, by utorować im drogę przez lobby. Wszyscy na nich patrzyli, niemal nie zauważyli Catherine Deneuve spieszącej do restauracji na lunch, zapomnieli o Clincie Eastwoodzie, który też zamieszkał w Ritzu na czas kręcenia filmu tuż pod Paryżem. Twarze i nazwiska tego formatu były zjawiskiem powszechnym w Ritzu, Peter zaczął się zastanawiać, czy kiedykolwiek stanie się na tyle zblazowany, by o to nie dbać albo po prostu je ignorować. Pobyt tam i obserwowanie tego wszystkiego stanowiły jednak tak dobrą zabawę, że nie był w stanie odwrócić wzroku ani udawać znudzenia tak jak niektórzy goście, nie mógł też przestać wpatrywać się w arabskiego króla i jego stadko uroczych małżonek. Kobiety rozmawiały i śmiały się cicho, ochroniarze obserwowali je uważnie, nikomu nie pozwalali się do nich zbliżyć. Otoczyli je niczym mur kamiennych pomników, gdy król nawiązał cichą rozmowę z innym mężczyzną. Nagle Peter usłyszał tuż za sobą głos i wzdrygnął się.

– Dzień dobry, panie Haskell. Witamy z powrotem. Bardzo się cieszymy, że wrócił pan do nas.

– Ja również się cieszę. – Peter odwrócił się i uśmiechnął do młodego konsjerża, który został do niego przypisany. Zaproponowali mu pokój na trzecim piętrze. Zdaniem Petera w Ritzu nie było złych pokojów. Byłby zadowolony wszędzie, gdzie by go umieścili. – Gości jak zwykle cała masa. – Miał na myśli króla i armię jego ochroniarzy, choć przecież hotel zawsze był wypełniony ludźmi tego pokroju.

– Jak zwykle... comme d'habitude... – Młody konsjerż uśmiechnął się i odłożył kwestionariusz, który podpisał Peter. – Pokażę panu pokój. – Sprawdził paszport i podał numer pokoju jednemu z boyów, dając Peterowi znak, by poszedł za nim.

Minęli bar i restaurację wypełnioną doskonale ubranymi ludźmi, którzy spotykali się tam na obiad, drinka lub lunch, by porozmawiać o interesach lub różnych intrygujących planach. To wtedy Peter zauważył Catherine Deneuve, nadal piękną, jak śmiała się i rozmawiała z przyjacielem przy stoliku w rogu. Była to kwintesencja tego, co kochał w tym hotelu: twarze, ludzie, sam widok był dla niego ekscytujący. Idąc długim korytarzem do windy, mijali wysokie witryny pełne kosztownych drobiazgów z butików i od jubilerów z całego Paryża. Po drodze zauważył złotą bransoletkę, która spodobałaby się Katie, i zanotował w myślach, by wrócić tu i ją kupić. Zawsze przywoził jej coś ze swoich podróży. Była to jej nagroda pocieszenia za to, że nie pojechała, tradycja sięgająca odległej przeszłości, gdy była w ciąży, tuż po porodzie albo opiekowała się małymi dziećmi. Obecnie tak naprawdę nie chciała z nim podróżować, a on to wiedział. Wolała swoje spotkania komitetów i przyjaciółki. Ich dwaj synowie byli już w szkołach z internatem, w domu został tylko jeden, mogła więc z nim pojechać w każdej chwili, lecz zawsze miała jakąś wymówkę, a Peter nie naciskał. Po prostu nie chciała. Mimo to wciąż przywoził prezenty jej i chłopcom, jeśli byli w domu. Był to ostatni akord ich dzieciństwa.

W końcu dotarli do windy; arabski król gdzieś zniknął, udał się już zapewne do swojego tuzina pokojów. Byli stałymi gośćmi w Ritzu, jego żony spędzały zazwyczaj maj i czerwiec w Paryżu, a czasami zostawały do premiery kolejnej kolekcji w lipcu. Wracali w zimie z tego samego powodu.

– Ciepło, jak na tę porę roku – zauważył Peter, zwracając się do konsjerża, gdy czekali na windę. Na zewnątrz było cudownie, powietrze było balsamiczne i gorące, aura budziła pragnienie, by położyć się gdzieś pod drzewem, spojrzeć w niebo i obserwować przetaczające się po nim chmury. Nie był to dobry dzień na interesy. Peter i tak jednak zamierzał zadzwonić do Paula-Louisa Sucharda i dowiedzieć się, czy będą mogli się zobaczyć przed zaplanowanym następnego ranka spotkaniem.

– Cały tydzień był taki – odparł swobodnym tonem konsjerż.

Dzięki temu wszyscy byli w dobrym nastroju, a że pokoje były klimatyzowane, nikt nie narzekał na upały. Obaj uśmiechnęli się, gdy obok nich przeszła Amerykanka z trzema yorkshire terrierami. Pieski były tak nastroszone i pokryte taką ilością wstążek, że obaj panowie musieli wymienić znaczące spojrzenia.

Nagle powietrze stało się naelektryzowane, a Peter znów poczuł za sobą falę aktywności. Zerknął na kobietę z psami, nawet ona podniosła głowę zaskoczona. Zaczął się zastanawiać, czy to nie znów Arabowie ze swoimi ochroniarzami albo jakaś gwiazda filmowa, lecz wyczuł jedynie natychmiastowy wzrost podekscytowania. Odwrócił się, by zobaczyć, co się dzieje, i dostrzegł falangę mężczyzn w ciemnych garniturach ze słuchawkami w uszach. Było ich czterech, szczelnie zasłaniali tego, kto szedł za nimi. Na pierwszy rzut oka można było rozpoznać w nich ochroniarzy ze względu na słuchawki w uszach i krótkofalówki przy paskach. Gdyby było nieco chłodniej, na pewno mieliby na sobie prochowce.

Szli pewnym krokiem w kierunku Petera i konsjerża, po czym rozstąpili się nieco i odsłonili grupę mężczyzn idących za nimi. Mężczyźni mieli na sobie lekkie garnitury, wyglądali na Amerykanów, jeden z nich był wyższy niż inni i miał wyraźnie jaśniejsze włosy. Wyglądał niemal jak gwiazda filmowa, roztaczał wokół magnetyczną aurę. Wszyscy słuchali go uważnie, jego towarzysze wyglądali na wyjątkowo poważnych i głęboko zaabsorbowanych, gdy nagle wybuchnęli śmiechem.

Peter był tym człowiekiem zaintrygowany, przyglądał się mu długo i uważnie przekonany, że gdzieś go już widział, lecz nie mógł sobie przypomnieć gdzie. Nagle do niego dotarło, kto to. Był to kontrowersyjny i bardzo dynamiczny młody senator z Wirginii Anderson Thatcher. Miał czterdzieści osiem lat, nieraz był zamieszany w skandal, lecz w każdym przypadku plotki szybko cichły i nieraz, co o wiele ważniejsze, dotknęła go tragedia. Jego brat Tom został zamordowany sześć lat temu podczas wyścigu prezydenckiego tuż przed wyborami. Był pewny zwycięstwa, wydarzenie zaowocowało więc całą masą teorii na temat domniemanych sprawców i dwoma bardzo kiepskimi filmami. Ostatecznie okazało się, że sprawcą był szaleniec z bronią, który działał w pojedynkę. W następnych latach

Anderson Thatcher, dla przyjaciół Andy, był odpowiednio sposobiony, awansował rangą wśród politycznych sprzymierzeńców i wrogów i był obecnie poważnie rozważany jako kandydat w następnych wyborach prezydenckich. Nie ogłosił jeszcze oficjalnie swojej kandydatury, lecz mówiło się, że zrobi to wkrótce. Peter śledził jego losy z zainteresowaniem. Pomimo niepochlebnych uwag, jakie do niego docierały odnośnie do osobowości młodego polityka, uważał go za ciekawego kandydata w następnym wyścigu. Gdy go teraz zobaczył w otoczeniu ochroniarzy i pracowników kampanii, natychmiast wyczuł w nim charyzmę i z tym większym zafascynowaniem się mu przyglądał.

Tragedia dotknęła senatora po raz drugi, gdy jego syn w wieku dwóch lat umarł na raka. Peter niewiele o tym wiedział, pamiętał jednak rozdzierające serce fotografie w „Timie" po śmierci dziecka. Zwłaszcza zdjęcie żony Thatchera, która wracała z cmentarza ze zdruzgotanym wyrazem twarzy, zaskakująco samotna, ponieważ Thatcher zaopiekował się swoją matką. Agonia na twarzy młodej matki przyprawiła Petera o dreszcz. Wszystko to ocepliło ich wizerunek w oczach ludzi; ciekawie było przyglądać się senatorowi teraz, pogrążonemu w rozmowie ze swoją kohortą.

Chwilę później, gdy winda wciąż nie przyjeżdżała, mężczyźni przesunęli się nieco i wtedy Peter dostrzegł jeszcze jedną postać za nimi. Zobaczył kobietę z fotografii. Miała spuszczoną głowę, wydawała się niewiarygodnie delikatna, bardzo drobna i krucha, jakby lada chwila mogła odlecieć. Była ledwie cieniem kobiety z największymi oczami, jakie Peter w życiu widział; było w nich coś, co kazało wpatrywać się w nie z fascynacją. Miała na sobie błękitny lniany kostium od Chanel, było w niej coś szalenie delikatnego i pełnego rezerwy, gdy szła za znajomymi mężczyznami. Żaden z nich zdawał się jej nie zauważać, nawet ochroniarze, gdy stała cicho w kolejce do windy. Kiedy Peter na nią spojrzał, nagle podniosła głowę. Miała najsmutniejsze oczy, jakie kiedykolwiek widział, nie było w niej jednak niczego żałosnego. Była po prostu odizolowana, delikatnymi dłońmi gestem pełnym gracji otworzyła torebkę i schowała do niej ciemne okulary. Żaden z mężczyzn z nią nie rozmawiał, nie zwracali na nią uwagi, nawet gdy winda w końcu przyjechała. Wcisnęli się do niej przed nią, a ona w milczeniu wsiadła za nimi. Miała w sobie uderzającą godność, żyła we własnym świecie, była damą w każdym calu. Nie dbała o to, czy ktokolwiek zauważa jej istnienie.

Peter przyglądał się jej zafascynowany, wiedząc doskonale, z kim ma do czynienia. Widywał w gazetach liczne jej zdjęcia przez lata, w szczęśliwszych czasach, gdy wychodziła za mąż, i wcześniej nawet, z jej ojcem. Była to żona Andy'ego Thatchera, Olivia Douglas Thatcher. Tak jak mąż, pochodziła z rodziny ważnych polityków. Jej ojciec był szanowanym gubernatorem Massachusetts, a jej brat młodszym kongresmenem z Bostonu. Miała około trzydziestu czterech lat i była jedną z tych osób, które fascynują prasę; dziennikarze nie odstępowali jej ani na krok, choć dostarczała im niewiele materiału. Peter widział wywiady z jej mężem, rzecz jasna, lecz nie przypominał sobie żadnego z Olivią Thatcher. Pozostawała w cieniu przez cały czas. Czuł się jak zahipnotyzowany, gdy wsiadał do windy tuż za nią. Stała odwrócona do niego plecami, lecz tak blisko, że bez wysiłku mógłby ją objąć. Na samą myśl oddech uwiązł mu w piersi, spojrzał na włosy w sobolowym odcieniu, które były bardzo piękne. Jakby wyczuła, że Peter o niej myśli, odwróciła się i spojrzała na niego, ich oczy znów się spotkały i czas się na chwilę zatrzymał. Uderzył go smutek w jej oczach, miał wrażenie, jakby przemawiała do niego bez słów. Miała najbardziej ekspresyjne oczy, jakie kiedykolwiek widział, nagle zaczął się zastanawiać, czy sobie tego wszystkiego nie wyobraził, czy w jej oczach naprawdę było coś więcej niż w oczach innych ludzi. Odwróciła się zaraz po tym, jak na niego spojrzała, i nie patrzyła już na niego, gdy wysiadał z windy nieco wstrząśnięty.

Portier już wniósł jego bagaże, gouvernante sprawdził dla niego pokój i uznał, że wszystko jest w porządku, Peter wszedł więc do środka i znów poczuł się tak, jakby umarł i trafił do raju. Brokat na ścianach miał odcień ciepłej brzoskwini, meble były zabytkowe, kominek wykonano z brzoskwiniowego marmuru, a zasłony i narzuta na łóżko zostały uszyte z pasujących do siebie jedwabiów i satyn.

Marmurową łazienkę wyposażono we wszelkie możliwe udogodnienia. Było to jak spełnienie marzeń; usiadł w wygodnym satynowym fotelu i wyjrzał na doskonale utrzymany ogród. Prawdziwa perfekcja.

Dał napiwek konsjerżowi, obszedł pokój powoli, wyszedł na balkon i przechylił się przez poręcz, by podziwiać kwiaty na dole, rozmyślając o Olivii Thatcher. W jej twarzy, w jej oczach było coś niesamowitego, widział to też na fotografiach, lecz nigdy nie poczuł tego tak przemożnie jak wtedy, gdy na niego spojrzała. Czaił się w nich jakiś bolesny wyraz, ale i siła. Jakby chciała powiedzieć coś jemu albo komukolwiek, kto na nią patrzył. Na swój sposób była o wiele silniejsza i bardziej pociągająca niż jej mąż. Peter nie mógł przestać myśleć o tym, że nie wyglądała na kogoś, kto gra w polityczne gierki. O ile wiedział, nigdy tego nie robiła, nawet teraz, gdy jej mąż był tak blisko nominacji.

Zastanawiał się, jakie sekrety skrywa. A może wszystko to sobie wyobraził? Może wcale nie była smutna, tylko bardzo spokojna. Nikt z nią nie rozmawiał, bądź co bądź. Dlaczego jednak tak na niego spojrzała? O czym myślała?

Wciąż był pogrążony w myślach, gdy mył twarz i dłonie, a pięć minut później dzwonił do Sucharda. Nie mógł się już doczekać spotkania z nim. Była jednak niedziela. Suchard nie podzielał jego entuzjazmu do tej zwołanej naprędce narady. Niemniej zgodził się spotkać z Peterem za godzinę. Peter przez chwilę spacerował niecierpliwie po pokoju, zadzwonił do Kate, lecz jej jak zwykle nie było. W Stanach była dopiero dziewiąta rano, zapewne wyszła załatwić sprawunki albo odwiedzała przyjaciół. Kate rzadko bywała w domu po dziewiątej i nigdy nie wracała przed wpół do szóstej. Wiecznie była zajęta. Teraz miała coraz więcej spraw, angażowała się w posiedzenia zarządu szkoły, a w domu czekało na nią już tylko jedno dziecko, często więc wracała nawet później.

W końcu opuścił pokój ogromnie podekscytowany czekającym go spotkaniem z Suchardem. Na tę chwilę czekał całe życie. Ostateczne zielone światło, które pozwoli im popchnąć sprawę Vicotecu. Wiedział, że to tylko formalność, lecz nie umniejszał jej wagi dla procesu przekonania FDA do szybkiej ścieżki. Suchard był najbardziej znanym i szanowanym kierownikiem przeróżnych ekip i centrów badawczych. Jego błogosławieństwo dla Vicotecu liczyło się najbardziej.

Tym razem winda zjawiła się szybko, Peter od razu wszedł do środka. Miał na sobie ten sam ciemny garnitur, zmienił jednak koszulę na niebieską z wykrochmalonymi białymi mankietami i kołnierzykiem; wyglądał nieskazitelnie świeżo, gdy nagle dojrzał szczupłą postać w kącie. Kobieta miała na sobie czarne lniane spodnie i czarny podkoszulek, a na nosie ciemne okulary. Włosy upięła z tyłu, włożyła buty na płaskim obcasie; gdy się odwróciła i spojrzała na niego, mimo ciemnych okularów od razu rozpoznał w niej Olivię Thatcher.

Przez całe lata czytał o niej w gazetach, a nagle zobaczył ją dwa razy w ciągu godziny; tym razem wyglądała zupełnie inaczej. Wydawała się jeszcze szczuplejsza i młodsza niż w kostiumie od Chanel, zdjęła na chwilę okulary i spojrzała na niego. Był pewien, że także go rozpoznała, lecz żadne z nich nic nie powiedziało, a on starał się na nią nie gapić. Było w niej coś, co całkowicie go obezwładniało. Nie miał pojęcia, co go w niej tak intrygowało. Jej oczy, bez wątpienia, lecz także coś więcej. Było coś w sposobie, w jaki się poruszała i wyglądała, w legendzie, która ją otaczała. Wydawała się dumna, bardzo pewna siebie, bardzo cicha i zdumiewająco pełna rezerwy. Wystarczyło, że na nią spojrzał, i od razu zapragnął zadać jej tysiąc głupich pytań. Zupełnie jak wszyscy ci reporterzy. Dlaczego jesteś taka pewna siebie? Taka wycofana? Wyglądasz smutno. Czy jest pani smutna, pani Thatcher? Jak się pani czuła, gdy umarł pani synek? Czy jest pani pogrążona w depresji? Tego rodzaju pytania zadawali jej wszyscy, a ona nigdy nie odpowiadała. Gdy tylko na nią spojrzał, także zapragnął poznać odpowiedzi, zapragnął wyciągnąć do niej rękę, przytulić ją, dowiedzieć się, co czuje i dlaczego jej oczy tak go wzywają, zapragnął się przekonać, czy oszalał, myśląc, że tak wiele w nich wyczytał. Zapragnął ją poznać, lecz wiedział, że nigdy do tego nie dojdzie. Byli dla siebie dwojgiem nieznajomych, którzy nigdy nie zamienią ani słowa.

Sama jej bliskość przyprawiała go o dreszcz. Czuł jej perfumy, widział przebłyski światła w jej włosach, wyczuwał gładkość jej skóry; nie mógł przestać się w nią wpatrywać, lecz na szczęście dotarli w końcu na parter, a drzwi windy się otworzyły. Czekał już na nią ochroniarz, nic nie powiedziała, po prostu wysiadła i zaczęła iść, ochroniarz podążył za nią. Zdaniem Petera wiodła osobliwe życie; obserwował ją, jak szła, przyciągała go niczym magnes, musiał sobie przypomnieć, że przyjechał tu w interesach i nie ma czasu na dziecinne fantazje. Czuł jednak, że jest w niej coś magicznego, rozumiał już, dlaczego stanowiła coś w rodzaju legendy. Przede wszystkim była zagadką. Była osobą, którą wszyscy chcieli poznać, lecz nikomu się to nie udawało. Zastanawiał się, czy ktokolwiek ją zna, gdy wyszedł na zalany słońcem chodnik, a odźwierny wezwał mu taksówkę. Odjeżdżając, zobaczył ją, jak skręcała za róg i opuszczała plac Vendôme. Szybkim krokiem, ze spuszczoną głową i okularami na nosie przemierzała rue de la Paix z ochroniarzem, a Peter jakby mimowolnie zaczął się zastanawiać, dokąd zmierza. W końcu zmusił się, by oderwać od niej wzrok i myśli; gdy taksówka przyspieszyła, patrzył już prosto przed siebie, mijając ulice Paryża.

Rozdział 2

*T*ak jak Peter się spodziewał, spotkanie z Suchardem było krótkie i rzeczowe, okazał się jednak całkowicie nieprzygotowany na to, co Paul-Louis miał do powiedzenia o ich produkcie. Takiego werdyktu nie przewidział. Według naukowca Vicotec był potencjalnie niebezpieczny, nawet zabójczy, jeśli stosowany niezgodnie z zaleceniami lub omyłkowo źle podany, a w efekcie swoich wad nawet gdyby został dopuszczony do użytku, całe lata dzieliły go od etapu produkcji i ewentualnej sprzedaży. Lek nie był też jeszcze gotowy do testów na ludziach, których Peter tak rozpaczliwie pragnął.

Siedział i wpatrywał się w lekarza oniemiały. Nie mógł uwierzyć w to, co słyszy, nie był w stanie nawet sobie wyobrazić takiej interpretacji ich produktu. Zyskał dostatecznie dużą wiedzę o chemicznych właściwościach leku, by zadać kilka bardzo celnych i technicznie wyrafinowanych pytań. Suchard zdołał odpowiedzieć tylko na niektóre z nich, lecz generalnie czuł, że Vicotec jest niebezpieczny i że w związku z tym powinni z niego zrezygnować. Jeśli chcą zaryzykować jego dopracowywanie przez kolejne parę lat, problemy być może da się rozwiązać, nie było jednak gwarancji, że kiedykolwiek zdołają je pokonać i uczynić lek użytecznym i bezpiecznym. Jeśli tego nie zrobią, lek będzie zabójczy. Peter poczuł się tak, jakby ktoś zdzielił go cegłą po głowie.

– Jesteś pewien, że w twoich badaniach nie ma błędów? – zapytał w przypływie rozpaczy; chciał znaleźć błędy w testach, wszystko, byle tylko nie obwiniać swojego ukochanego „dziecka".

– Jestem niemal pewien, że nie było żadnych błędów – odparł Paul-Louis po angielsku z silnym akcentem. Petera ogarnęło przerażenie. Paul-Louis miał posępną minę, jak zwykle. Zazwyczaj to właśnie on wykrywał wady w ich produktach. Tradycyjnie już okazywał się posłańcem złych wieści. Było to jego powołanie. – Jeden test nie został jeszcze ukończony, może on nieco złagodzić niektóre wyniki, lecz nie zmieni ich całkowicie. – Zaczął wyjaśniać, że może on rzucić bardziej optymistyczne światło na przewidywania odnośnie do czasu, jaki będzie potrzebny na dodatkowe testy, mowa wciąż była jednak o latach, a nie o miesiącach ani tygodniach, na co mieli nadzieję przed przesłuchaniami FDA.

– Kiedy te testy zostaną ukończone? – zapytał Peter, czując mdłości. Nie mógł uwierzyć w to, co słyszy. To był najgorszy dzień jego życia, gorszy niż wszystko, czego doświadczył w Wietnamie i po wojnie. Oznaczał zmarnowanie czterech lat pracy, jeśli nie całkowicie, to przynajmniej częściowo.

– Potrzebujemy jeszcze paru dni, lecz moim zdaniem te testy to jedynie formalność. Myślę, że znamy już możliwości Vicotecu. Jesteśmy świadomi większości jego słabości i problemów.

– Myślisz, że ten lek jest do uratowania? – Peter zrobił przerażoną minę.

– Osobiście w to wierzę... w przeciwieństwie do niektórych członków mojego zespołu. Oni są zdania, że lek zawsze będzie zbyt niebezpieczny, zbyt delikatny, będzie stanowił za duże ryzyko w rękach niewykwalifikowanej osoby. Na pewno nie odegra takiej roli, na jaką liczyłeś. Nie teraz. Być może nigdy.

Pragnęli stworzyć rodzaj chemioterapii, która będzie łatwiejsza do podawania nawet dla laików w odległych terenach wiejskich, gdzie dobra pomoc medyczna nie była dostępna. Ze słów Paula-Louisa wynikało jednak, że to niemożliwe. Nawet jego ogarnęło współczucie, gdy spojrzał na Petera. Dyrektor wyglądał tak, jakby właśnie dowiedział się, że stracił całą rodzinę i wszystkich przyjaciół, i dopiero zaczynał rozumieć konsekwencje. A te były nieskończone.

Stanowiło to dla niego ogromne rozczarowanie, przeżył prawdziwy szok.

– Przykro mi – dodał cicho Suchard. – Myślę, że z czasem wygrasz tę bitwę. Musisz jednak zdobyć się na cierpliwość – dodał łagodnie.

Peter poczuł łzy pod powiekami, gdy uświadomił sobie, jak daleko zaszli i jak daleko od celu wciąż się znajdowali. Nie takich odpowiedzi się spodziewał. Był pewien, że spotkanie będzie tylko formalnością, a zamieniło się w koszmar.

– Kiedy będziesz miał dla nas wyniki testów? – Bał się wracać do Nowego Jorku, by poinformować o wszystkim Franka, zwłaszcza bez kompletnych informacji.

– Za dwa, trzy dni, może cztery. Nie mam jeszcze pewności. Bez wątpienia do końca tygodnia będziesz znał swoje odpowiedzi.

– Jeśli wyniki będą pomyślne, czy wpłyną na twoje obecne stanowisko? – Błagał, naciskał na dobre wiadomości. Wiedział, jak konserwatywny jest Suchard, czasami bywał, być może, zbyt ostrożny. Trudno było mu pojąć, jak te wyniki mogą się tak diametralnie różnić od opinii wszystkich innych instytutów. Suchard nigdy dotąd się jednak nie pomylił, nieuwierzenie mu wiązałoby się z ogromnym ryzykiem. Nie mogli tak po prostu zignorować jego zdania.

– Mogą wpłynąć na nie częściowo, lecz nie ogólnie. Może jeśli będą optymalne, uda się skrócić czas potrzebnych jeszcze badań do roku.

– Może do sześciu miesięcy? Jeśli zaangażujemy do pracy wszystkie nasze laboratoria i skoncentrujemy wszystkie możliwości badawcze na tym projekcie? – Grali o taką stawkę, że ten krok był tego wart. A Frank Donovan lubił słuchać o prognozach zysków, a nie o prognozach badawczych.

– Być może. To jednak ogromne zobowiązanie, którego byście się podjęli.

– Wszystko zależy od pana Donovana, rzecz jasna. Będę musiał to z nim omówić. – Wiele musiał z nim omówić, nie chciał jednak robić tego przez telefon. Wiedział, że ryzykuje, lecz naprawdę chciał poczekać na wyniki ostatnich testów i porozmawiać z Frankiem potem, gdy już będą wiedzieli, co dokładnie odkrył Suchard. – Chciałbym zaczekać na zakończenie ostatnich testów. Proszę, byś do tego czasu zachował wszystko w tajemnicy.

– Oczywiście.

Uzgodnili, że spotkają się, gdy tylko ostatnie badania się zakończą. Paul-Louis obiecał, że zadzwoni do Petera do hotelu.

Zakończyli spotkanie w ponurych nastrojach, Peter był wyczerpany, gdy zamówił taksówkę, by wrócić do Ritza; wysiadł z niej wcześniej i przeszedł parę przecznic do placu Vendôme. Czuł się rozpaczliwie nieszczęśliwy. Pracowali tak ciężko, on tak bardzo w to wierzył, jak to możliwe, że wszystko tak się popsuło? Jak to możliwe, że Vicotec okazał się zabójcą? Dlaczego nie wykryli tego wcześniej? Dlaczego to musiało się stać? Liczył na to, że trafiła mu się jedyna wielka szansa, by pomóc ludzkości, a zamiast tego przez cały czas wspierał zabójcę. Ironia losu miała gorzki smak; gdy wszedł do hotelu, nawet gwar godziny koktajlowej i gości wchodzących i wychodzących w feerii barw go nie pocieszył. Nie zauważył Arabów, Japończyków, francuskich gwiazd filmowych i modelek z całego świata, gdy energicznym krokiem przemierzył lobby i wszedł schodami na górę do swojego pokoju, rozmyślając o tym, co powinien teraz zrobić. Wiedział, że musi zadzwonić do teścia, wolał jednak zaczekać na brakujące informacje. Pragnął porozmawiać o tym z Kate, lecz ta na pewno wszystko powtórzyłaby ojcu. Była to jedna z prawdziwych wad ich małżeństwa. Kate nie była w stanie i nie chciała zatrzymywać niczego dla siebie, wszystkim, co mówił jej mąż, zawsze dzieliła się z ojcem. Była to pamiątka po ich dawnej relacji, gdy dorastała tylko z nim, i choć Peter przez lata się starał, nigdy nie zdołał tego zmienić. W końcu zrezygnował, uważał tylko, by nie mówić jej niczego, czym nie chciał dzielić się z Frankiem – tak było w tej sytuacji. Jeszcze nie, w każdym razie nie teraz. Wolał zaczekać na nowiny od Paula-Louisa i potem zmierzyć się z konsekwencjami.

Został tego wieczoru w swoim pokoju, wyglądał przez okno, czując powiewy ciepłego powietrza, i nie mógł uwierzyć w to, co się wydarzyło. Niewiarygodne. O dziesiątej nadal stał na balkonie, próbując nie dopuścić do siebie myśli o porażce. Mógł myśleć tylko o swoich marzeniach, o tym, jak blisko byli ich spełnienia, o zniweczonych nadziejach i istnieniach zmienionych przez to, co Paul-Louis powiedział i co miał wkrótce odkryć. Nadzieja wciąż istniała, szansa na szybkie wprowadzenie leku na rynek była jednak nikła. Wystąpienie przed komisją FDA we wrześniu straciło sens. Nie pozwolą mu rozpocząć testów na ludziach, jeśli nadal tak wiele było do zrobienia. Sporo musiał przemyśleć. Trudno było mu ogarnąć to wszystko rozumem i w końcu o jedenastej postanowił zadzwonić do Katie. Miło byłoby porozmawiać z nią o tym, co go trapi, lecz liczył tylko na to, że humor mu się poprawi, gdy usłyszy jej głos.

Wybrał numer, lecz nikt nie podniósł słuchawki. W Stanach była piąta po południu, nawet Patricka nie było jeszcze w domu. Zaczął się zastanawiać, czy Katie wyszła z przyjaciółmi na kolację. Rozłączył się i nagle ogarnęło go obezwładniające poczucie przygnębienia. Cztery lata ciężkiej pracy poszły na marne w jeden dzień, a razem z nimi niemal wszystko, o czym marzył. I nawet nie miał z kim o tym porozmawiać. Smutne.

Znów wyszedł na chwilę na balkon, zaczął rozważać spacer, lecz nawet przechadzka po ulicach Paryża nagle straciła dla niego cały urok, zamiast tego postanowił poćwiczyć, by odpędzić swe osobiste demony. Zerknął na kartkę na biurku, po czym zszedł po schodach do spa dwa piętra niżej. Na szczęście nadal było otwarte, a on wziął ze sobą granatowe kąpielówki na wypadek, gdyby miał okazję z nich skorzystać. Lubił basen w Ritzu, lecz tym razem nie był pewien, czy będzie miał czas na pływanie. Okazało się, że czekając, by Suchard dokończył testy, zyskał czas na wiele różnych rzeczy. Po prostu nie był w nastroju, by je robić.

Pełniący dyżur szatniarz nawet się nie zdziwił na jego widok. Dochodziła północ, w środku nie było nikogo. Spa wyglądało na opuszczone, panowała w nim cisza. Szatniarz, który do tej pory czytał książkę, wyznaczył Peterowi szatnię, podał mu klucz, a chwilę później zaprowadził go do zbiornika z płynem dezynfekcyjnym przed wejściem na główny basen. Obiekt był duży, piękny i nagle Peter ucieszył się, że jednak postanowił tu przyjść. Tego właśnie potrzebował. Uznał, że pływanie rozjaśni mu w głowie i być może łatwiej upora się ze wszystkim, co się wydarzyło.

Zanurkował z gracją przy głębszym końcu basenu, jego długie, szczupłe ciało miarowo przecinało wodę. Przepłynął pod powierzchnią znaczny dystans, po czym wynurzył się i pokonał resztę basenu długimi, czystymi wymachami ramion. Gdy dotarł do przeciwległego brzegu, zobaczył ją. Płynęła cicho, głównie pod wodą, wynurzała się od czasu do czasu i znów nurkowała. Była taka drobna i szczupła, że niemal ginęła w wielkim basenie. Miała na sobie prosty czarny kostium kąpielowy; gdy się wynurzała, jej ciemnobrązowe włosy wyglądały na czarne, w jej ogromnych ciemnych oczach błysnęło zaskoczenie, gdy go zobaczyła. Rozpoznała go natychmiast, nie wykonała jednak żadnego gestu. Po prostu znów zanurkowała i popłynęła dalej, a on się jej przyglądał. Dziwnie się czuł, obserwując ją, była tak blisko, a jednocześnie tak daleko w obu przypadkach – w windzie i teraz. Kusiła swoją bliskością, a jednocześnie była tak odległa, że równie dobrze mogłaby żyć na innej planecie.

Pływali w milczeniu po przeciwnych stronach basenu przez jakiś czas, minęli się parę razy, gdy pokonywali kolejne dystanse, z wysiłkiem próbując odegnać swoje osobiste problemy, i nagle jakby specjalnie oboje zatrzymali się przy jednym końcu basenu. Brakowało im tchu; nie wiedząc, co ma robić, nie mogąc oderwać od niej wzroku, Peter uśmiechnął się do niej, a ona odpowiedziała uśmiechem. Po chwili, równie nagle, odpłynęła, zanim zdołał ją zagadnąć lub zadać jej pytanie. Nie planował tego, lecz podejrzewał, że ona do tego przywykła: do ludzi, którzy ją prześladowali, chcieli wiedzieć o niej rzeczy, o które nie mieli prawa pytać. Był zaskoczony, że tym razem nie towarzyszy jej ochroniarz, zaczął się zastanawiać, czy ktokolwiek wie, gdzie ona jest. Niemal nie zwracali na nią uwagi. Nie patrzyli na nią, gdy była z senatorem, nie rozmawiali z nią, a ona zdawała się całkowicie zadowolona z tego, że ma swój świat, tak jak teraz, gdy nie przerywała pływania.

Tym razem wynurzyła się na przeciwległym brzegu, a on jakby nieświadomie powoli zaczął płynąć w jej kierunku.

Nie miał pojęcia, co by zrobił, gdyby przemówiła do niego z prawdziwym zainteresowaniem. Nie mógł sobie nawet wyobrazić, by to zrobiła. Była postacią, na którą się patrzyło, która fascynowała, swego rodzaju ikoną, tajemnicą. Nie była prawdziwa. Jakby chciała to udowodnić, gdy tylko się zbliżył, z gracją wyszła z basenu, jednym zwinnym ruchem owinęła się w ręcznik, a gdy znów podniósł głowę, już jej nie było. Miał więc rację. Nie była kobietą, lecz legendą.

Niedługo potem wrócił do swojego pokoju, przez chwilę rozważał telefon do Kate. W Connecticut była siódma, zapewne wróciła już do domu i jadła kolację z Patrickiem, chyba że oboje spędzali wieczór z przyjaciółmi.

Tak naprawdę jednak nie chciał z nią rozmawiać. Nie chciał udawać, wmawiać jej, że wszystko w porządku, ponieważ nie mógł podzielić się z nią tym, co usłyszał od Sucharda. Wiedział, że powiedziałaby ojcu, a niemożność zwierzenia się jej sprawiała, że czuł się osobliwie odizolowany, leżąc w swoim łóżku w paryskim Ritzu. Był to przedziwny rodzaj czyśćca w miejscu, które miało być rajem. Gdy tak leżał w ciepłym nocnym powietrzu, w końcu poczuł się lepiej niż wcześniej, przynajmniej fizycznie. Pływanie pomogło. A kolejne spotkanie z Olivią Thatcher jeszcze wzmogło jego fascynację. Była taka piękna i taka nierzeczywista, sprawiała wrażenie rozpaczliwie samotnej. Nie był pewien, dlaczego tak myśli, czy to przez gazety, które czytał, czy takie były fakty, a może to ona go w tym przekonaniu utwierdziła, gdy utkwiła w nim brązowe aksamitne oczy pełne sekretów. Wiedział tylko, że jej widok sprawiał, iż pragnął wyciągnąć do niej dłoń i dotknąć jej niczym rzadkiego motyla tylko po to, by sprawdzić, czy może i czy ona to przetrwa. Podejrzewał jednak, że gdyby jej dotknął, jej skrzydła zamieniłyby się w pył, jak w przypadku większości rzadkich motyli.

Tej nocy śnił o motylach i o kobiecie, która zerkała na niego zza drzew w bujnym lesie tropikalnym. Miał wrażenie, że się zgubił, lecz za każdy razem gdy wpadał w panikę i zaczynał krzyczeć, pojawiała się ona i prowadziła go w milczeniu ku bezpiecznemu miejscu. Nie był pewien, co to za kobieta, wydawało mu się jednak, że to Olivia Thatcher.

A gdy się rankiem obudził, nadal o niej myślał. Było to osobliwe uczucie, raczej urojenia niż sen. Spędzenie z nią całej nocy we śnie wzmogło w nim przekonanie, że ją zna.

Wtedy zadzwonił telefon. Frank. U niego była czwarta nad ranem, w Paryżu – dziesiąta. Chciał wiedzieć, jak się udało spotkanie z Suchardem.

– Skąd wiesz, że się z nim wczoraj widziałem? – zapytał Peter, próbując się obudzić i zebrać myśli. Jego teść codziennie wstawał o czwartej. O szóstej trzydzieści, siódmej był już w biurze. Nawet teraz, tuż przed emeryturą, jak sam twierdził, nie zmienił swoich przyzwyczajeń ani na jotę.

– Wiem, że w południe opuściłeś Genewę. Doszedłem do wniosku, że nie będziesz tracił czasu. Jakie nowiny?

Frank był pełen optymizmu, a Peter wciąż jeszcze pamiętał szok, jaki odczuł, gdy usłyszał opinię Paula-Louisa Sucharda.

– Nie skończyli jeszcze testów – odparł niejednoznacznie z nadzieją, że Frank go nie zdemaskuje. – Poczekam tu parę dni na wyniki.

Frank wybuchnął śmiechem, co rozdrażniło Petera. Co on mu, do diabła, powie?

– Nie możesz zostawić swojego dziecka nawet na minutę, prawda, synu? – Rozumiał to. Zainwestowali w Vicotec tak wiele czasu i pieniędzy, a w przypadku Petera także marzeń.

Na szczęście Suchard nie powiedział, że projekt to ślepy zaułek, pomyślał Peter, siadając na łóżku. Wspomniał tylko o problemach. Poważnych, rzecz jasna, lecz dla jego marzenia wciąż istniała nadzieja.

– Cóż, w takim razie baw się dobrze w Paryżu przez te parę dni. My tu wszystkiego za ciebie dopilnujemy. W biurze nie dzieje się nic strasznego. Zabieram dziś Katie na kolację do '21. O ile ona nie ma nic przeciwko twojej nieobecności, ja chyba jakoś sobie bez ciebie poradzę.

– Dzięki, Frank. Chciałbym być na miejscu, by omówić wyniki z Suchardem, gdy tylko będą gotowe. – Brak jakiegokolwiek ostrzeżenia dla Franka uznał za nieuczciwy. – Napotkali chyba parę przeszkód.

– Jestem pewien, że to nic poważnego – odparł Frank bez namysłu.

Wyniki z Niemiec i Szwajcarii były po prostu za dobre, by obudziły się w nim obawy. Peter też był tego zdania, dopóki Paul-Louis nie powiedział, że Vicotec to potencjalny zabójca. Mógł tylko żywić nadzieję, że wszystko to okaże się nieprawdą, a problemy, które odkryli, to błahostki.

– Co masz zamiar robić, czekając? – zapytał Frank z rozbawieniem.

Lubił swojego zięcia, zawsze byli dobrymi przyjaciółmi. Peter był rozsądny i bystry, dowiódł, że jest dla Katie wspaniałym mężem. Pozwalał jej na wszystko i nie próbował się wtrącać, gdy chciała wszystko układać po swojemu. Pozwalał jej żyć, tak jak chciała, posyłać chłopców do odpowiednich szkół (czyli do Andover i Princeton). Przyjeżdżał na Martha's Vineyard na miesiąc co roku i szanował relację łączącą Franka i Katie od czasów jej dzieciństwa. Oprócz tego był też błyskotliwym prezesem Wilson-Donovan. I dobrym ojcem dla chłopców. W zasadzie Frankowi niewiele w nim przeszkadzało, może tylko to, że czasami Peter wykazywał się uporem w niektórych sprawach, na przykład odnośnie do szkół z internatem czy kwestii, którymi, zdaniem Franka, nie powinien się interesować.

Jego pomysły marketingowe przeszły już do historii, dzięki niemu Wilson-Donovan był najbardziej znaną firmą farmaceutyczną w branży. Frank był osobiście odpowiedzialny za rozwój firmy z etapu solidnego biznesu rodzinnego do rynkowego giganta, lecz to dzięki Peterowi stała się ona międzynarodowym imperium. „New York Times" pisał o nim bezustannie, a „Wall Street Journal" nazywał go cudownym dzieckiem świata farmacji. Całkiem niedawno chcieli z nim przeprowadzić wywiad na temat Vicotecu, lecz Peter uznał, że nie jest jeszcze gotowy. Kongres poprosił go o wystąpienie przed ważną komisją na temat etycznych i ekonomicznych zagadnień ustalania cen farmaceutyków. Nie odpowiedział jeszcze, kiedy może się przed komisją pojawić.

– Mam trochę pracy – odparł Peter, zerkając na zalany słońcem balkon; nie miał najmniejszej ochoty, by pracować. – Pomyślałem, że zrobię parę rzeczy i prześlę je do biura. Trochę popracuję, a potem pójdę na spacer – dodał. Miał przed sobą cały dzień.

– Nie zapomnij zamówić szampana – wtrącił jowialnie Frank. – Będziecie z Suchardem mieli co świętować. My też się zabawimy, jak wrócisz do domu. Czy mam zadzwonić dziś do „Timesa"? – zapytał swobodnie.

Peter nerwowo pokręcił głową i wstał. Był bardzo wysoki, szczupły i nagi.

– Ja bym się z tym nie spieszył. Uważam, że powinniśmy zaczekać na wyniki ostatnich testów, aby zapewnić sobie wiarygodność – oświadczył ponuro, zastanawiając się, czy ktokolwiek może go zobaczyć przez otwarte okno. Miał zmierzwione włosy, owinął się w pasie prześcieradłem. Frotowy szlafrok hotelowy znajdował się poza jego zasięgiem, leżał na wyściełanym brzoskwiniowym brokatem fotelu w połowie pokoju.

– Nie denerwuj się tak – mruknął Frank. – Testy wypadną świetnie. Zadzwoń, jak tylko czegoś się dowiesz – dodał; musiał się spieszyć, by zdążyć na czas do biura.

– Zadzwonię. Dzięki za telefon, Frank. Przekaż ucałowania Kate na wypadek, gdyby nie udało mi się z nią skontaktować przed waszym wieczornym spotkaniem. Wczoraj cały dzień była poza domem, a teraz jest za wcześnie, bym do niej dzwonił – dodał Peter tytułem wyjaśnienia.

– To zajęta dziewczynka – oświadczył Frank z dumą. Dla niego wciąż była dziewczynką, pod pewnymi względami nie zmieniła się od czasów college'u. Wyglądała niemal tak samo jak dwadzieścia cztery lata temu, gdy poznała Petera. Była gibką blondynką, uroczą, jak mawiali jej przyjaciele, i bardzo wysportowaną. Nosiła krótką fryzurę, miała niebieskie oczy jak on, wyglądała jak chochlik, chyba że nie dostawała tego, czego chciała. Była dobrą matką i dobrą żoną dla Petera, a także wyjątkową córką. Oboje to wiedzieli. – Przekażę jej twoje pozdrowienia – zapewnił zięcia, po czym się rozłączył.

Peter usiadł na łóżku owinięty prześcieradłem i utkwił wzrok w widoku za oknem. Co mu powie, jeśli sprawa wyjdzie na jaw? Jak usprawiedliwią miliony dolarów, które już wydali, miliardy, których nie zarobią, na pewno nie przez jakiś czas, i kolejne sumy, które będą musieli wyłożyć, by ulepszyć produkt? Nie mógł przestać się zastanawiać, czy Frank wyrazi taką chęć. Czy będzie chciał rozwijać Vicotec do etapu doskonałości, czy będzie nalegał na porzucenie projektu? Decyzja należał do niego jako do prezesa zarządu, lecz Peter był gotowy na wszystko, by o lek walczyć. Zawsze był zwolennikiem podejmowania dużego ryzyka, jeśli wygrana także miała być duża. Frank lubił natomiast szybkie, pokazowe zwycięstwa. Dostatecznie trudno było przekonać go do czteroletnich badań, dodatkowy rok lub dwa mogą okazać się dla niego przesadą, zwłaszcza w świetle ewentualnych kosztów.

Zamówił do pokoju kawę i rogaliki, po czym podniósł słuchawkę. Wiedział, że ma czekać na telefon od Sucharda, lecz nie mógł się powstrzymać. Zadzwonił do Paula-Louisa, powiedziano mu, że doktor Suchard jest w laboratorium i że nie wolno mu przeszkadzać. Odbywało się bardzo ważne spotkanie. Peter przeprosił więc i powrócił do agonii oczekiwania. Miał wrażenie, iż upłynie cała wieczność, zanim lekarz zadzwoni. Minęła mniej niż doba od ich ostatniego spotkania, a Peter już był gotów wyskoczyć ze skóry z powodu nieznośnego napięcia.

Włożył szlafrok, zanim przyniesiono śniadanie, przez chwilę rozważał wyjście na basen, uznał to jednak za zbyt dekadenckie w godzinach pracy. Zamiast tego otworzył komputer i usiadł przed nim, by popracować, pogryzając rogalik i popijając kawę, nie zdołał się jednak skoncentrować.

Zanim minęło południe, wziął prysznic, ubrał się i przestał żywić jakąkolwiek nadzieję, że uda mu się coś zrobić.

Przez długą chwilę nie mógł się na nic zdecydować. Miał ochotę na coś frywolnego i naprawdę paryskiego. Spacer nad Sekwaną albo w siódmej dzielnicy wzdłuż rue du Bac, może stołek w jakiejś kawiarni w Dzielnicy Łacińskiej, gdzie będzie mógł siedzieć, popijać kawę i obserwować przechodniów. Zrobiłby cokolwiek, byle nie pracować i nie myśleć o Vicotecu. Pragnął wyrwać się z pokoju i wtopić się w miasto.

Włożył ciemny garnitur i jedną ze swoich doskonale uszytych białych koszul. Nie miał żadnego oficjalnego spotkania, lecz nie przywiózł ze sobą niczego więcej. Gdy po wyjściu z hotelu oblało go ciepłe czerwcowe słońce na placu Vendôme, przywołał taksówkę i poprosił kierowcę, by zabrał go do Lasku Bulońskiego. Zapomniał już, jak bardzo lubił tam przebywać, spędził tam długie godziny w ciepłym słońcu, na ławce, jedząc lody i przyglądając się dzieciom. Długa droga dzieliła go od laboratoriów męczących się z Vicotekiem i od Greenwich w stanie Connecticut, a jeszcze dłuższa od tajemniczej młodej żony senatora Thatchera, gdy tak siedział pogrążony w myślach w paryskim słońcu.

Rozdział 3

Po południu Peter opuścił Lasek Buloński i poje-chał taksówką do Luwru, aby przespacerować się po muzeum. Było wspaniale zorganizowane, pomniki na dziedzińcu cechowała potęga, na widok której przystanął i wpatrywał się w nie przez dłuższą chwilę niczym zahip-notyzowany, czując z nimi cichą więź. Nie przeszkadzała mu nawet szklana piramida ustawiona tuż przed Luwrem, która wywoływała tyle kontrowersji wśród obcokrajowców i mieszkańców Paryża. Spacerował przez jakiś czas, po czym udał się taksówką do hotelu. Nie było go przez cztery go-dziny, dzięki temu poprawił mu się nastrój, odżyła w nim nadzieja. Nawet jeśli testy nie wypadły dobrze, zdołają prze-cież uratować to, co już mają, i pchnąć prace do przodu. Nie zamierzał pozwolić, by tak ważny projekt upadł z powodu kilku trudności. Przesłuchania przed FDA nie były końcem świata, przechodził przez nie już nieraz i nawet gdyby miało im to zająć nie cztery lata, ale pięć czy sześć, był gotów się z tym pogodzić.

Wszedł do Ritza zrelaksowany, w filozoficznym nastroju. Było późne popołudnie, nie zostawiono dla niego żadnych wiadomości. Przystanął i kupił gazetę, po czym udał się do jubilera po złotą bransoletkę dla Katie. Był to masywny, piękny łańcuszek z zawieszką w kształcie złotego serca. Katie uwielbiała symbol serca, wiedział, że będzie nosić bransoletkę. Ojciec kupował jej naprawdę kosztowne prezenty, na przykład diamentowe naszyjniki i pierścionki; wiedząc, że nie zdoła z nim konkurować, Peter zazwyczaj kupował rzeczy, o których wiedział, że będzie je nosiła, albo takie, które miały dla niego wyjątkowe znaczenie.

Gdy wszedł na górę i rozejrzał się po pustym pokoju, nagle opanowało go zdenerwowanie. Ogarnęła go przemożna pokusa, by znów zadzwonić do Sucharda, lecz zdołał się jej tym razem oprzeć. Zamiast tego zadzwonił do Katie, lecz odpowiedziała mu tylko automatyczna sekretarka. W Connecticut było południe, zapewne wyszła na lunch, a jeden Bóg wiedział, gdzie podziewali się chłopcy.

Mike i Paul powinni byli już wrócić ze szkoły, Patrick jeszcze do niej nie wyjechał, więc za tydzień lub dwa Katie zacznie przeprowadzać wszystkich na Vineyard. Peter zostanie w mieście, by pracować, i będzie dojeżdżać do nich na weekendy, zgodnie z tradycją, zanim spędzi z nimi swój czterotygodniowy urlop w sierpniu. Frank zamierzał w tym roku wziąć wolne na całe wakacje, a Katie planowała w związku z tym wielkiego grilla na 4 Lipca, by uczcić otwarcie sezonu letniego.

– Żałuję, że cię nie zastałem – powiedział do sekretarki, czując się idiotycznie. Nienawidził rozmawiać z urządzeniami elektronicznymi. – Różnica czasu wszystko utrudnia. Zadzwonię później... pa... aha... mówił Peter.

Uśmiechnął się i rozłączył. Zawsze czuł się niezręcznie, gdy po drugiej stronie odpowiadała automatyczna sekretarka.

– Biznesowa szycha, a nie potrafi porozmawiać z automatyczną sekretarką – mruknął, żartując z samego siebie, po czym ułożył się na kanapie w brzoskwiniowo-satynowym pokoju i zaczął się rozglądać, zastanawiając się, co zje na obiad. Mógł pójść do pobliskiego bistro, zostać w hotelu i zjeść w restauracji albo zamówić obiad do pokoju, włączyć CNN i popracować. Ostatecznie wybrał ostatnią opcję. Była najłatwiejsza.

Zdjął marynarkę i krawat, podwinął nienaganne rękawy koszuli. Był jedną z tych osób, które wyglądały nieskazitelnie również pod koniec dnia, nie tylko na początku. Jego synowie kpili sobie z tej jego cechy, powtarzali, że musiał urodzić się w krawacie, co prowokowało u niego wybuchy śmiechu, gdy przypominał sobie swoją młodość w Wisconsin.

Żałował, że oni tego nie zaznają zamiast Greenwich, Connecticut i Martha's Vineyard. Wisconsin zostawił jednak daleko, daleko za sobą. Jego rodzice i siostra odeszli, nie miał powodu, by tam pojechać. Wciąż myślał o dzieciach Muriel w Montanie, lecz było już za późno, by nawiązać z nimi kontakt. Były już prawie dorosłe, nie poznałyby go. Katie miała rację. Było już za późno.

Tego wieczoru w wiadomościach nie było niczego ciekawego, w końcu więc pogrążył się w pracy. Zaskoczyła go jakość posiłku, lecz ku rozpaczy kelnera, nie zwrócił nań przesadnej uwagi. Stolik został pięknie nakryty, lecz on postawił na nim laptop, nie przerywając pracy.

– Vous devrez sortir, monsieur – oświadczył kelner. – Powinien pan wyjść na spacer.

Nastał piękny wieczór, miasto oświetlane księżycem w pełni wyglądało wyjątkowo, lecz Peter zmusił się, by nie zwracać na nie uwagi.

Obiecał sobie, że gdy skończy, w nagrodę pójdzie popływać; nastała jedenasta, gdy w końcu się zdecydował, lecz wtedy usłyszał ciągły wysoki sygnał, nie wiedział, czy to radio, telewizor czy może nacisnął jakiś przycisk na komputerze. Gdy dźwięk nie ustawał, otworzył drzwi na korytarz, a wtedy hałas jeszcze się wzmógł. Inni goście również wyszli na korytarz, niektórzy mieli zmartwione bądź przerażone miny.

– Feu? Ogień? – zapytał przebiegającego obok boya hotelowego.

Chłopiec odwrócił się do Petera niepewnie, nawet nie przystanął, by odpowiedzieć.

– C'est peut-être une incendie, monsieur.

Ta odpowiedź podpowiedziała Peterowi, że to prawdopodobne. Nikt nie był pewien, lecz bez wątpienia rozlegał się swego rodzaju alarm, goście zaczęli wracać do swoich pokojów. Nagle do akcji wkroczył cały personel hotelu. Boye, ich przełożeni, kelnerzy, pokojówki, gouvernantes pięter, asystenci wszelkiego rodzaju chodzili po piętrach, pukając do drzwi, dzwoniąc i ponaglając gości do wyjścia najszybciej jak to możliwe. Non, non, madame, proszę się nie przebierać. Gouvernantes rozdawali szlafroki, boye nieśli małe torby i pomagali paniom z psami. Nikt niczego nie wyjaśniał, gościom powiedziano tylko, że muszą się natychmiast ewakuować, nie opóźniając procesu ani na chwilę.

Peter wahał się przez moment, zastanawiając się, czy powinien wziąć laptop, lecz w końcu zdecydował się go zostawić. Nie miał w nim żadnych plików dotyczących tajemnic firmy, tylko sporo notatek, informacji i korespondencji, którą musiał się zająć. Odczuł ulgę, gdy postanowił go zostawić. Nie włożył nawet marynarki, zabrał tylko portfel i paszport oraz klucz do pokoju, po czym zbiegł na dół po schodach razem z japońskimi damami pospiesznie odzianymi w Gucci i Diora, ogromną amerykańską rodziną „uciekającą" z trzeciego piętra, kilkoma Arabkami w przepysznej biżuterii, przystojnymi Niemcami pospieszającymi wszystkich

na schodach i całą zgrają miniaturowych yorkshire terrie-
rów i francuskich pudli.

Było w tym wszystkim coś tak rozkosznie komicznego,
że Peter musiał się do siebie uśmiechnąć, gdy schodził na
dół. Starał się nie porównywać ich sytuacji z Titanikiem.
Ritz przecież nie tonął.

Po drodze spotykali personel hotelu, który pomagał,
niósł otuchę, podawał dłoń, jeśli było to konieczne, witał
wszystkich i przepraszał za niedogodności. Nikt jednak nie
wspomniał, jaka jest przyczyna zamieszania — czy to po-
żar, fałszywy alarm czy może poważniejsze zagrożenie. Gdy
w końcu minęli witryny sklepów, lobby i wyszli na ulicę, Peter zauważył oddziały CRS w pełnym rynsztunku. Był to
odpowiednik amerykańskich jednostek SWAT. Gdy Peter
dostrzegł również króla Khaleda i jego rodzinę wywożonych
w pośpiechu w rządowych limuzynach, doszedł do wniosku, że musi chodzić o bombę. Wokół niego tłoczyli się goście: dwie popularne francuskie aktorki z przyjaciółmi, zdu-
miewająca mnogość starszych dżentelmenów z młodymi
dziewczętami i Clint Eastwood w dżinsach i podkoszulku,
który właśnie wrócił ze strzelnicy. Była prawie północ, gdy
w końcu pracownikom hotelu udało się opróżnić wszystkie
pokoje. Dokonali tego szybko, bezpiecznie i nie wzbudzając
paniki. Doskonale poradzili sobie z wyprowadzeniem gości na plac Vendôme, gdzie w bezpiecznej odległości zaczęli
rozstawiać stoliki ze słodyczami i kawą dla tych, którzy jej

potrzebowali, oraz mocniejszymi napojami. Można by to uznać nawet za zabawę, gdyby nie fakt, że było już późno, stanowiło to niedogodność i nadal otaczała ich nikła aura niebezpieczeństwa.

– I nici z mojego wieczornego pływania – powiedział Peter do Clinta Eastwooda, gdy stanęli obok siebie i utkwili wzrok w hotelu, wypatrując dymu.

CRS weszło do środka dziesięć minut wcześniej, by szukać bomby. Najwyraźniej dyrektor hotelu otrzymał telefon z pogróżkami.

– I nici ze snu tej nocy – odparł ponuro aktor. – Muszę jutro wstać o czwartej. A to może zająć mnóstwo czasu, jeśli szukają bomby.

Zastanawiał się przez chwilę, czy nie przespać się na planie, lecz inni goście nie mieli takiej opcji. Stali na ulicy wciąż oszołomieni, przytulali swoje zwierzęta, przyjaciół i małe skórzane kasetki pełne biżuterii.

Peter obserwował przez chwilę kolejne oddziały CRS wchodzące do hotelu, po czym nakazał sobie nieco się odsunąć; odwrócił się i wtedy ją zobaczył. Zauważył Andy'ego Thatchera otoczonego, jak zwykle, przez jego świtę i ochroniarzy; wydawał się w ogóle nie zwracać uwagi na poruszenie wokół. Prowadził ożywioną dyskusję z towarzyszącymi mu osobami, z których tylko jedna była kobietą – wyglądała jak polityczny bulterier. Paliła nerwowo, a Thatcher zdawał się pochłonięty tym, co mówiła. Peter zauważył też Olivię, która stała obok nich, nikt z nią nie rozmawiał. W ogóle nie zwracali na nią uwagi, podczas gdy on obserwował ją z rosnącą fascynacją. Stała z boku ignorowana nawet przez ochroniarzy i piła kawę z hotelowej filiżanki. Miała na sobie biały podkoszulek i dżinsy, wyglądała jak dziecko w tanich mokasynach; oczy, które tak go hipnotyzowały, chłonęły otoczenie, gdy jej mąż i jego świta szli powoli do przodu. Thatcher i jeden z jego ludzi próbowali rozmawiać z oficerami CRS, lecz ci tylko kręcili głowami. Nie znaleźli jeszcze tego, po co przyszli. Ktoś przyniósł składane krzesła, kelnerzy zaoferowali je gościom wraz z winem, wszyscy byli w zdumiewająco dobrych nastrojach pomimo niewygody. Ewakuacja przekształcała się powoli w nocne przyjęcie na placu Vendôme. Jakby wbrew sobie Peter wciąż obserwował z zaciekawieniem Olivię Thatcher.

Oddalała się od swojej grupy coraz bardziej, po chwili nawet ochroniarze stracili ją z oczu, czym w ogóle się nie przejęli. Senator stał do niej plecami, odkąd wyszli z hotelu, nie odezwał się do niej ani razu, a gdy wraz ze swoimi ludźmi usiadł na krzesłach, Olivia cofnęła się jeszcze bardziej i wmieszała się w setkę gości z myślą o kolejnej filiżance kawy. Cechował ją stoicki spokój, w ogóle nie doskwierało jej, iż całe otoczenie męża ją ignoruje. Peter wpatrywał się w nią z rosnącą fascynacją, nie mógł oderwać od niej wzroku.

Zaproponowała krzesło starszej Amerykance, pogłaskała małego pieska, w końcu odstawiła pustą filiżankę na stolik.

Gdy kelner zaoferował jej następną, uśmiechnęła się i pokręciła głową z gracją. Było w niej coś cudownie delikatnego
i świetlistego, jakby była aniołem, który tylko na chwilę zstą-
pił na ziemię. Peter nie potrafił zaakceptować faktu, że jest
tylko kobietą. Wyglądała na to zbyt spokojnie, zbyt delikatnie, zbyt doskonale, zbyt tajemniczo i na zbyt przerażoną,
gdy ludzie podchodzili za blisko. Ewidentnie źle się czuła,
gdy ktoś się jej przyglądał, najszczęśliwsza była, gdy nikt na
nią nie patrzył, jak tego wieczoru. Była bezpretensjonalnie
ubrana i tak skromna, że nawet Amerykanie jej nie rozpo-
znawali, choć przecież widywali ją wielokrotnie w gazetach
i tabloidach. Przez lata była wymarzonym celem dla papa-
razzich, którzy rzucali się na nią znienacka zwłaszcza w okresie choroby i śmierci jej dziecka. Nawet teraz ich intrygowała, będąc czymś w rodzaju żywej legendy i męczennicy.

Gdy Peter ją obserwował, oddalała się coraz bardziej
i bardziej, kryła się w tłumie gości, aż musiał wysilić wzrok,
by ją zobaczyć. Zastanawiał się, czy ma jakiś powód, czy
może cofa się mimowolnie. Oddaliła się od męża i jego ekipy,
nie zobaczyliby jej już, dopóki nie zaczęliby jej szukać. Do
hotelu wracali goście z otwartych do późna restauracji i noc-
nych klubów takich jak Chez Castel, z kolacji z przyjaciółmi
i z teatrów. Gapie przyszli zobaczyć, co się dzieje. Tłum
szeptem winił za wszystko króla Khaleda. W hotelu mieszkał też ważny brytyjski minister, pojawiła się więc plotka,
że to sprawka IRA, że ktoś rzekomo podłożył bombę albo

tylko tak powiedział i że policja poleciła, by nikt nie wracał do hotelu, dopóki CRS nie odnajdzie ładunku.

Było już grubo po północy, Eastwood dawno zasnął w swojej przyczepie na planie. Nie zamierzał zmarnować kilku godzin na staniu na placu Vendôme i oczekiwanie na ranek. Peter rozejrzał się i dostrzegł Olivię Thatcher, która powoli opuściła grupę hotelowych gości, po czym z non-szalancją przeszła na drugą stronę placu. Odwróciła się do nich plecami, po czym zniknęła za rogiem. Nie mógł prze-stać się zastanawiać, dokąd idzie. Rozejrzał się za ochro-niarzem, był pewien, że kogoś za nią posłano. Okazało się jednak, że pozostawiono ją samej sobie, a ona skorzystała z okazji i przyspieszyła, nie oglądając się nawet przez ra-mię. Nie mogąc oderwać od niej wzroku, bez namysłu sam odsunął się od tłumu i ruszył jej śladem. Wokół hotelu tyle się działo, że nikt nie zwrócił na nich uwagi. Peter nie za-uważył, że jeszcze przez parę kroków śledził ich pewien mężczyzna, lecz szybko stracił zainteresowanie i wrócił do gości, gdy dwie znane modelki włączyły odtwarzacz CD i zaczęły tańczyć na oczach podenerwowanych oficerów CRS. Na miejsce dotarli członkowie ekipy CNN, właśnie przeprowadzali wywiad z senatorem Thatcherem, wypyty-wali go o jego poglądy na temat terroryzmu, a on pewnie wyrażał swoje zdanie. W świetle tego, co przydarzyło się jego bratu sześć lat temu, był szczególnie wyczulony na tego rodzaju bzdury. Wygłosił płomienne przemówienie, które obdarzono gorącymi oklaskami. W końcu ekipa CNN zaczęła przepytywać innych gości. Co ciekawe, nikt nie poprosił o możliwość rozmowy z panią Thatcher, wszyscy czuli, że senator wyraża zdanie ich obojga. Ekipa podeszła do tańczących modelek i to z nimi przeprowadziła kolejny wywiad. Obie uznały wieczór za świetną zabawę i dodały, że Ritz powinien częściej urządzać takie imprezy. Zatrzymały się w hotelu na trzydniową sesję dla „Harper's Bazaar", obie przyznały, że kochają Paryż. Odśpiewały piosenkę i zaczęły stepować. Goście stanowili ożywioną grupę i pomimo możliwego zagrożenia ze strony nieodnalezionej dotąd bomby wszyscy dobrze się bawili.

Peter był już wtedy dużo dalej, śledził żonę senatora, która opuściła plac Vendôme. Szła pewnie, jakby znała cel, nie zawahała się nawet przez chwilę. Pokonała już spory dystans, Peter musiał wydłużyć krok, by jej nie zgubić, nie wiedział, co by jej odpowiedział, gdyby odwróciła się i zapytała go, co robi. Nie w pełni zdawał sobie sprawę, co robi i dlaczego. Wiedział po prostu, że musi tam być. Czuł przymus podążania za nią ulicami Paryża, wmawiał sobie, że pragnie dopilnować jej bezpieczeństwa ze względu na późną porę, nie miał jednak pojęcia, skąd wzięło się w nim poczucie, że to jego zadanie.

Ogarnęło go zdumienie, gdy stanęła w końcu na środku placu Zgody i uśmiechając się do siebie, patrzyła na fontanny i rozświetloną wieżę Eiffla w oddali. Na ławce siedział włóczęga, obok przeszedł młody człowiek, dwie pary się całowały, lecz nikt nie zwracał na nią uwagi, a ona wyglądała na wyjątkowo szczęśliwą, gdy tak stała. Zapragnął podejść do niej, wziąć ją w ramiona i razem z nią patrzeć na fontanny. Zamiast tego zachował uprzejmy dystans i tylko się do niej uśmiechał. Po chwili, ku jego zdumieniu, zerknęła na niego z pytaniem w oczach. Jakby wiedziała, że tam jest i jaki ma powód, lecz i tak czuła, że winien jest jej wyjaśnienie. Wiedziała, że ją śledził, lecz nie wydawała się zła ani przerażona; ku jego zawstydzeniu, odwróciła się i powoli podeszła do niego. Wiedziała, kim jest, rozpoznała w nim mężczyznę z basenu. Zaczerwienił się w mroku, gdy się zbliżyła.

– Czy jest pan fotografem? – zapytała uprzejmie, patrząc mu prosto w oczy. Nagle wydała mu się bardzo krucha i smutna. Już się jej to zdarzało, setki razy, miliony, do znudzenia i wiecznie. Reporterzy śledzili ją wszędzie, odnosili zwycięstwo za każdym razem, gdy odzierali ją z intymnej chwili. Przywykła już do tego, nie lubiła tego, lecz zaakceptowała to jako część swojego życia.

Peter pokręcił głową, dostrzegł jej zmieszanie, zrobiło mu się przykro na myśl, że jej przeszkodził.

– Nie, nie jestem... przepraszam... ja... chciałem tylko dopilnować... jest bardzo późno. – Gdy na nią spojrzał, poczuł się mniej zażenowany, a bardziej opiekuńczy. Była taka niezwykła i delikatna. Nigdy nie spotkał nikogo takiego. – Nie powinna pani spacerować samotnie po nocy, to niebezpieczne.

Zerknęła na młodego chłopaka i starego kloszarda, po czym wzruszyła ramionami.

– Dlaczego mnie pan śledził? – zapytała bezpośrednio; jej brązowe aksamitne oczy miały taki łagodny wyraz, gdy na niego spojrzała, że zapragnął dotknąć jej twarzy.

– Ja... sam nie wiem – przyznał szczerze. – Z ciekawości... rycerskości... fascynacji... przez głupotę... – Chciał jej wyznać, że oszołomiła go jej uroda, lecz nie zdobył się na to. – Chciałem się upewnić, że nic pani nie grozi. – A potem zdecydował się na otwartość. Okoliczności były niezwykłe, a ona wyglądała na osobę, z którą można otwarcie porozmawiać. – Pani uciekła, prawda? Oni nie wiedzą, że pani zniknęła?

Być może już wiedzieli i wszędzie jej szukali, lecz nie dbała o to. Wyglądała jak psotne dziecko, gdy na niego spojrzała. Wiedziała, że ją rozszyfrował.

– Zapewne nawet nie zauważą różnicy – odparła szczerze, bez skruchy, za to zaskakująco figlarnie. Naprawdę nikt o niej nie pamiętał. Nikt z jej otoczenia z nią nie rozmawiał, nawet jej mąż. – Musiałam uciec. Czasami czuję się taka... stłamszona. – Spojrzała na niego, nie wiedząc, czy ją rozpoznał. Nie chciała wszystkiego popsuć.

– Czasami wszyscy czujemy się stłamszeni – mruknął filozoficznie. On też chwilami źle się czuł w swojej roli, lecz wiedział, że jej sytuacja jest gorsza. Zerknął na nią ze współczuciem. Dotarł tak daleko, że nie miał oporów przed posunięciem się o krok dalej. – Da się pani zaprosić na kawę?

Był to wyświechtany frazes, oboje się uśmiechnęli, Olivia wahała się przez chwilę, próbując zrozumieć, co kryje się za jego ofertą. Gdy dostrzegł jej wahanie, uśmiechnął się ciepło.

– To była szczera propozycja. Jestem stosunkowo dobrze wychowany i z pewnością można mi zaufać na tyle, by wypić ze mną filiżankę kawy. Zaproponowałbym swój hotel, lecz mają tam jakieś problemy.

Roześmiała się i spojrzała na niego nieco rozluźniona. Znała go z hotelu, z windy i z basenu. Miał na sobie kosztowną czystą koszulę, spodnie od garnituru i drogie buty. Jego oczy patrzyły na nią z szacunkiem i dobrocią, skinęła więc głową.

– Chętnie napiję się kawy, lecz nie w pańskim hotelu – odparła cicho. – Za dużo się tam dziś dzieje. Może na Montmartrze? – dodała z wahaniem.

Uśmiechnął się. Spodobał mu się ten pomysł.

– Doskonała myśl. Czy mogę wezwać taksówkę?

Skinęła głową, podeszli więc do najbliższego postoju; pomógł jej wsiąść do samochodu, a ona podała adres bistro, o którym wiedziała, że jest otwarte do późna i ma stoliki na zewnątrz. Noc była ciepła, żadne z nich nie miało ochoty na powrót do hotelu, choć oboje zachowywali się wobec siebie z nieśmiałością. To ona pierwsza przełamała lody, gdy zerknęła na niego kpiąco.

– Często pan to robi? To znaczy śledzi kobiety? – Nagle całe to wydarzenie wydało się jej zabawne, gdy Peter zaczerwienił się i pokręcił głową.

– W zasadzie nigdy wcześniej tego nie robiłem. To mój pierwszy raz i nadal nie jestem pewien, dlaczego tak postąpiłem. – Gdy na nią patrzył, wydawała mu się taka delikatna i krucha, że z jakiegoś szalonego powodu pragnął ją chronić, lecz tego już nie powiedział.

– Bardzo się cieszę, że pan to zrobił – odparła. Była szczerze rozbawiona, zaskakująco dobrze się czuła w jego towarzystwie; kilka minut później siedzieli już przy stoliku na świeżym powietrzu, mając przed sobą dwie parujące filiżanki kawy. – Świetny pomysł. – Uśmiechnęła się do niego. – A teraz proszę mi o sobie opowiedzieć – dodała, opierając podbródek na dłoniach, czym bardzo upodobniła się do Audrey Hepburn.

– Niewiele jest do opowiadania. – Nadal czuł zażenowanie, lecz cieszył się, że może z nią być.

– Jestem przekonana, że to nieprawda. Skąd pan pochodzi? Z Nowego Jorku? – odgadła trafnie. Tam przecież pracował.

– Prawie. Pracuję w Nowym Jorku. Mieszkam w Greenwich.

– I ma pan żonę i dwoje dzieci. – Uzupełniała informacje za niego, uśmiechając się przy tym tęsknie. Jego życie było zapewne bardzo szczęśliwe i zwyczajne, w przeciwieństwie do jej życia pełnego tragedii i rozczarowań.

– Mam trzech synów – poprawił ją. – Owszem, jestem żonaty. – Gdy pomyślał o swoich synach, ogarnęło go poczucie winy ze względu na nią i małego chłopca, którego utraciła z powodu raka. Było to jej jedyne dziecko, on i cały świat wiedzieli, że potem nie zaszła już w ciążę.

– Ja mieszkam w Waszyngtonie – wtrąciła cicho – przez większość czasu. – Nie dodała niczego o dziecku, a on nie dopytywał.

– Lubi pani Waszyngton?

Wzruszyła ramionami, popijając kawę.

– Nie bardzo. Nienawidziłam go, gdy byłam dzieckiem. Jak się nad tym zastanowić, teraz chyba nienawidzę go jeszcze bardziej. Nie chodzi mi o miasto, lecz o ludzi, którzy w nim mieszkają, i o to, co robią ze swoim życiem. Swoim i życiem wszystkich innych. Nienawidzę polityki i wszystkiego, co za sobą pociąga. – Z jej słów biło gorące przekonanie. Jej brat, ojciec i mąż byli jednak tak głęboko zaangażowani w politykę, że ona nie mogła wyrwać się z jej szponów. Nie przedstawiła się jeszcze swojemu towarzyszowi, bo pragnęła wierzyć, że nie ma pojęcia, kim ona jest, że jest dla niego zwyczajną kobietą w mokasynach, dżinsach i podkoszulku. W jego oczach widziała jednak, że zna jej sekret. Może nie dlatego był tutaj i pił z nią kawę o drugiej w nocy, lecz był tego świadom. – Podejrzewam, że to nierealne, wierzyć, że nie zna pan mojego nazwiska... a może jednak? – zapytała, otwierając szeroko oczy.

Przytaknął, współczując jej z całego serca. Pragnęła anonimowości, lecz w tym życiu nie była jej ona pisana.

– Znam pani nazwisko i owszem, nierealnie jest wierzyć, że ludzie nie wiedzą, kim pani jest. To jednak nie powinno niczego zmieniać. Ma pani prawo do nienawiści do polityki i innych spraw, do pójścia na spacer na plac Zgody i zwierzenia się przyjacielowi. Wszyscy tego potrzebujemy. – Wyczuł w niej tę gorączkową potrzebę.

– Dziękuję – powiedziała cicho. – Powiedział pan wcześniej, że wszyscy czasami czują się stłamszeni. Pan również?

– Od czasu do czasu – odparł szczerze. – Czasami wszyscy natykamy się na niekorzystne okoliczności. Stoję na czele dużej firmy i nierzadko żałuję, że wszyscy o tym wiedzą i że nie mogę zrobić wszystkiego, czego zapragnę. – Tak jak teraz na przykład. W jej towarzystwie zapragnął być znów wolny, zapomnieć o tym, że ma żonę. Wiedział jednak, że nie może zrobić tego Katie. Nigdy w życiu jej nie zdradził i nie zamierzał zaczynać teraz, nawet z Olivią Thatcher. Ona również zapewne o tym nie myślała. – Chyba czasami wszyscy czujemy się zmęczeni naszym życiem i obowiązkami, które na nas spoczywają. Może nie tak zmęczeni jak pani – dodał z sympatią – lecz na swój sposób wszyscy marzymy o tym, by opuścić plac Vendôme i zniknąć w tłumie. Jak Agatha Christie.

– Zawsze intrygowała mnie ta historia – przyznała Olivia z nieśmiałym uśmiechem – zawsze chciałam to zrobić. – Była zaskoczona, że o tym słyszał. Fascynowały ją powody, dla których Agatha Christie po prostu pewnego dnia zniknęła. Odnaleziono jej samochód rozbity na drzewie. Słynna pisarka jednak rozpłynęła się w powietrzu. Zjawiła się dopiero parę dni później i w żaden sposób nie wyjaśniła swojej nieobecności. Wywołała ogromne poruszenie, o jej zniknięciu donosiły największe gazety w całej Anglii. W zasadzie na całym świecie nawet.

– Cóż, właśnie pani to zrobiła, przynajmniej na kilka godzin. Odeszła pani od swojego życia dokładnie tak jak ona. – Uśmiechnął się do niej, a ona spojrzała na niego figlarnie i odpowiedziała uśmiechem.

– Ona zniknęła na parę dni. Ja zaledwie na kilka godzin. – Poczuła rozczarowanie, gdy to powiedziała.

– Wszyscy już tam na pewno wychodzą z siebie, wszędzie pani szukają. Zapewne myślą, że porwał panią król Khaled.

Po tych słowach roześmiała się jeszcze głośniej, wyglądała przy tym jak dziecko.

Chwilę później Peter zamówił dla nich kanapki. Oboje się na nie rzucili. Umierali z głodu.

– Wie pan, nie sądzę, by mnie szukali. Nie jestem pewna, czy ktokolwiek zauważyłby, gdybym naprawdę zniknęła w dzień, na który nie przypadają żadne wiece ani przemówienia w klubach dla kobiet. W takich sytuacjach jestem bardzo przydatna. Poza tym raczej się nie liczę. Jestem jak jedno z tych sztucznych drzew, które wnosi się na scenę jako dekorację. Nie trzeba ich nawozić ani podlewać, po prostu się je rozkłada, by dobrze wyglądały, gdy trzeba trochę podrasować tło przedstawienia.

– Mówi pani okropne rzeczy – zakpił Peter, choć nie był pewien, czy może się z nią nie zgodzić na podstawie tego, co już widział. – Naprawdę tak pani ocenia swoje życie?

– Mniej więcej – odparła, wiedząc, że podejmuje ogromne ryzyko. Gdyby okazał się reporterem albo, co gorsza, dziennikarzem z tabloidu, jutro zrobią z niej miazgę. W sumie jednak nie dbała o to. Czasami musiała komuś zaufać, a w Peterze było coś niewiarygodnie ciepłego i pociągającego. Nigdy z nikim nie rozmawiała tak jak z nim, nie chciała przestawać, nie chciała wracać do swojego życia ani nawet do Ritza. Pragnęła zostać z nim na Montmartrze na zawsze.

– Dlaczego pani za niego wyszła? – ośmielił się zapytać, gdy odłożyła kanapkę.

Podniosła głowę, zastanawiała się przez chwilę, wpatrując się w mrok, po czym spojrzała na Petera.

– Kiedyś był inny. Wszystko bardzo szybko się zmieniło. Przydarzyło nam się wiele złych rzeczy. Na początku wszystko było w porządku. Kochaliśmy się, dbaliśmy o siebie, on przysięgał, że nigdy nie zaangażuje się w politykę.

Widziałam, co kariera ojca zrobiła nam wszystkim, zwłaszcza mojej matce, Andy zarzekał się, że będzie prawnikiem. Planowaliśmy mieć dzieci, konie i psy i mieszkać na farmie w Virginii. Tak zrobiliśmy, lecz po sześciu miesiącach wszystko się skończyło. To jego brat był rodzinnym politykiem, nie Andy. Tom miał zostać prezydentem, a ja byłabym przeszczęśliwa, oglądając Biały Dom tylko przy okazji zapalania lampek na choince. Tom został jednak zamordowany sześć miesięcy po naszym ślubie, a typy z kampanii zwróciły się wtedy do Andy'ego. Nie wiem, co się stało, może po śmierci brata poczuł się zobowiązany zająć jego miejsce i „zrobić coś ważnego dla swego kraju". Słyszałam tę frazę tyle razy, że niemal się nią dławię. W końcu chyba to pokochał. Ambicje polityczne szybko uderzają do głowy. Wiem, że są bardziej wymagające niż jakiekolwiek dziecko i zdają się oferować więcej podniecenia i pasji niż jakakolwiek kobieta. Pochłaniają wszystkich. Nie możesz kochać polityki i przetrwać. To po prostu niemożliwe. Wiem to. W końcu zżera wszystko, co masz, całą miłość, dobroć i przyzwoitość, zżera to, kim byłeś kiedyś, i zostawia na miejsce tej osoby polityka. Kiepska wymiana. To właśnie się nam przydarzyło. Andy zaangażował się w politykę, a żeby mi to wynagrodzić, co od początku obiecywał, postanowiliśmy mieć dziecko, którego on tak naprawdę nie chciał. Alex przyszedł na świat podczas kampanii, Andy'ego nawet przy tym nie było. Ani przy jego śmierci. – Jej twarz stężała. – Takie rzeczy zmieniają wszystko... Tom... Alex... polityka. Większość ludzi by tego nie przetrwała. My nie przetrwaliśmy. Nie wiem, czemu wydawało mi się, że damy radę. Chyba wymagałam zbyt wiele; gdy Tom zmarł, zabrał większą część Andy'ego ze sobą. To samo stało się ze mną, gdy umarł Alex. Życie rozdaje nam czasami bardzo złe karty. Po prostu nie da się wygrać, niezależnie od tego, jak bardzo się starasz ani ile pieniędzy postawisz. Wiele zainwestowałam w tę grę, długo w nią grałam. Jesteśmy małżeństwem od sześciu lat i ani jeden rok nie był łatwy.

– Dlaczego z nim pani została? – Z nieznajomymi nie prowadzi się zazwyczaj takich rozmów, oboje byli zdumieni śmiałością jego pytań i szczerością jej odpowiedzi.

– Jak miałam odejść? Co powiedzieć? Przykro mi, że twój brat umarł i całe twoje życie się zmieniło... przykro mi, że nasze jedyne dziecko... – Nie była w stanie dokończyć, wziął ją za rękę i uścisnął, a ona się nie odsunęła. Poprzedniej nocy byli nieznajomymi na basenie, a dzień później w kawiarni na Montmartrze stali się niemal przyjaciółmi.

– Możesz mieć dzieci? – zapytał z wahaniem; nigdy nie wiadomo, co przydarzało się ludziom, co mogli, a czego nie mogli zrobić, lecz zapragnął ją o to zapytać i usłyszeć odpowiedź.

Ze smutkiem pokręciła głową.

– Mogłabym, lecz nie chcę. Nie teraz. Nie znowu. Nie chcę już nigdy więcej obdarzyć taką miłością innej ludzkiej istoty. Nie chcę też sprowadzać kolejnego dziecka na świat, w którym teraz żyję. Nie z nim. Nie w polityce. To niemal zrujnowało życie moje i mojego brata, gdy byliśmy mali... a co ważniejsze, zrujnowało moją matkę. Od czterdziestu lat robi dobrą minę do złej gry i nienawidzi każdej sekundy tego. Nigdy tego nie powiedziała, nigdy głośno się do tego nie przyznała, lecz polityka zrujnowała jej życie. Żyje w ciągłej obawie, jak ludzie zinterpretują każdy jej ruch, wciąż się boi cokolwiek zrobić, pomyśleć czy powiedzieć. Andy chciałby, bym ja też była taka, a ja tego nie potrafię. – Gdy tylko to powiedziała, jej twarz wykrzywił strach, a on od razu odgadł, o czym pomyślała.

– Nie skrzywdzę cię, Olivio. Nigdy, przenigdy nie powtórzę tego nikomu. Wszystko zostanie pomiędzy nami a Agathą Christie. – Uśmiechnął się, gdy spojrzała na niego z rezerwą niepewna, czy może mu wierzyć. Czuła się osobliwie ze świadomością, że mu zaufała. Wystarczyło, by na niego spojrzała, a wiedziała, że nigdy jej nie zdradzi. – Ta noc nigdy się nie wydarzyła – dodał z wahaniem. – Wrócimy do hotelu osobno, nikt się nie dowie, gdzie byliśmy ani że byliśmy razem. Nigdy cię nie spotkałem.

– Cieszę się – odparła. Na jej twarz wypłynęły ulga i wdzięczność, gdy mu uwierzyła.

– Dawniej pisałaś, prawda? – zapytał, gdy przypomniał sobie, że czytał o tym przed wielu laty. Był ciekaw, czy nadal pisze.

– Owszem, pisałam. Tak jak moja matka. Ona jest bardzo utalentowana, napisała nawet powieść o Waszyngtonie, która rozwścieczyła miasto na początku kariery mojego ojca. Nie pozwolił jej już niczego więcej opublikować, choć naprawdę powinna była to zrobić. Ja nie jestem równie utalentowana, nigdy niczego nie wydałam, lecz od dawna pragnę napisać książkę o ludziach i kompromisach, o tym, co się stanie, jeśli idziesz na kompromis za często.

– Dlaczego jej nie napiszesz?

Pytał szczerze, lecz ona tylko się roześmiała i pokręciła głową.

– A co by się stało, twoim zdaniem, gdybym ją napisała? Prasa by oszalała. Andy uznałby, że naraziłam jego karierę. Książka nigdy nie ujrzałaby światła dziennego. Zostałaby spalona w jakimś magazynie przez jego ludzi. – Była przysłowiowym słowikiem w złotej klatce, nie mogła robić tego, co chciała, ponieważ to mogłoby skrzywdzić jej męża. A mimo to odeszła od niego, zostawiła go, by pić kawę na Montmartrze i zwierzać się nieznajomemu. Prowadziła doprawdy osobliwe życie, była o krok od wyrwania się z niego. Jej nienawiść do polityki i ból, jaki odczuwała, były oczywiste i obezwładniające. – A co z tobą? – Zwróciła swoje wielkie brązowe oczy na Petera. Wiedziała o nim tylko tyle, że jest żonaty, ma trzech synów, prowadzi firmę i mieszka w Greenwich. Wiedziała też, że potrafi słuchać i gdy trzyma ją za rękę i patrzy na nią, coś w jej wnętrzu się porusza, coś,

o czym myślała, że dawno umarło, nagle zaczęło oddychać. –
Dlaczego przyjechałeś do Paryża, Peterze?

Wahał się przez chwilę, trzymając ją za rękę i patrząc
jej w oczy. Nie mówił o tym nikomu, lecz ona mu zaufała,
musiał się zrewanżować. Czuł, że musi się komuś zwierzyć.

– Jestem tu z powodu firmy farmaceutycznej, którą za-
rządzam. Od czterech lat opracowujemy bardzo skompli-
kowany produkt, w naszej dziedzinie nie jest to długi
okres, lecz nam wydaje się całą wiecznością, wydaliśmy na
to ogromne pieniądze. To lek, który mógłby zrewolucjonizować chemioterapię, jest dla mnie osobiście bardzo ważny.
Traktuję go jako swój wkład w rozwój świata, coś ważnego,
co zadośćuczyni za te wszystkie śmieszne, samolubne rzeczy, które zrobiłem. Wiele dla mnie znaczy, zaliczył śpiewa-
jąco wszystkie nasze testy, we wszystkich krajach, w których
działamy. Ostatni etap testów przechodzi tutaj, przyjechałem, by domknąć sprawę. Mamy zamiar uzyskać pozwole-
nie na wcześniejsze próby na ludziach od FDA, opierając się
na naszych wynikach. Nasze laboratorium w Paryżu miało
przeprowadzić ostatnie badania, aż do teraz produkt był bez
skazy. Ostatnie testy pokazują jednak coś innego. Nie zostały jeszcze ukończone, lecz gdy wczoraj przyjechałem, szef
naszego laboratorium poinformował mnie, że lek może po-
wodować poważne problemy. Mówiąc szczerze, zamiast być
darem od Boga, który miałby ocalić rasę ludzką, może okazać się zabójcą. Nie poznam szczegółów do końca tygodnia,

lecz to może być koniec marzenia albo początek długich lat badań. Będę musiał wrócić do domu i powiedzieć prezesowi firmy, który, tak się składa, jest również moim teściem, że produkt trafi albo na półkę, albo na śmietnik. To nie przysporzy mi popularności.

Była wyraźnie pod wrażeniem, gdy na niego spojrzała i skinęła głową.

– Raczej nie. Czy przekazałeś mu to, czego się wczoraj dowiedziałeś? – Była pewna, że tak, uznała to pytanie za retoryczne, dopóki nie zobaczyła, jak Peter kręci głową ze skruszoną miną.

– Nie chcę niczego mówić, dopóki nie zbiorę wszystkich informacji – odparł, unikając pełnej odpowiedzi.

Spojrzała mu prosto w oczy.

– To musi być dla ciebie okropny tydzień, gdy czekasz na wiadomość – odparła ze współczuciem; po wyrazie jego oczu poznała, jakie to dla niego ważne. – Co powiedziała twoja żona? – Zapytała o to, ponieważ zakładała, że inni ludzie żyją w związkach bardziej otwartych niż ona. Nie mogła wiedzieć, że Peter nie może poruszyć z Katie żadnego tematu bez ryzyka, że ta wszystko powtórzy ojcu.

Swoją odpowiedzią zaskoczył ją więc jeszcze bardziej.

– Niczego jej nie powiedziałem – mruknął cicho.

Spojrzała na niego ze zdumieniem w oczach.

– Nie? Dlaczego? – Nie była sobie w stanie wyobrazić powodu.

– To długa historia. – Uśmiechnął się do niej nieśmiało. W jego oczach odmalowało się coś, co zdradziło jego samotność i rozczarowanie. Było to jednak tak subtelne, że chyba nawet sam nie był tego świadom. – Moją żonę łączy z ojcem bardzo bliska relacja – wyjaśnił powoli, zastanawiając się nad każdym słowem. – Jej matka zmarła, gdy była jeszcze dzieckiem, wychowywała się z nim. Mówi mu dosłownie wszystko. – Spojrzał na Olivię i dostrzegł zrozumienie na jej twarzy.

– Nawet rzeczy, które powierzasz jej w zaufaniu? – Poczuła oburzenie na myśl o takiej niedyskrecji.

– Nawet takie rzeczy. – Uśmiechnął się. – Kate i jej ojciec nie mają przed sobą tajemnic. – Poczuł ból w sercu, gdy to powiedział. Nie wiedział dlaczego, lecz gdy próbował to wyjaśnić, zaczęło go to bardziej dręczyć.

– To musi być dla ciebie bardzo niekomfortowa sytuacja. – Spojrzała mu w oczy, próbując dostrzec w nich, czy czuje się nieszczęśliwy, czy o tym wie. Zdawał się sugerować, że lojalność Kate wobec ojca jest, jego zdaniem, do pewnego stopnia nie tylko akceptowalna, lecz nawet normalna. A jednak jego oczy mówiły coś innego. Zaczęła się zastanawiać, czy właśnie to miał na myśli, mówiąc, że wszyscy czasami czują się przytłoczeni. Dla niej prywatność i dyskrecja oznaczały wszystko, na miejscu Petera poczułaby się stłamszona.

– Tak po prostu jest. Pogodziłem się z tym wiele lat temu. Nie sądzę, by oni rozmyślnie mnie tym ranili. Oznacza to

jednak, że o pewnych sprawach nie mogę jej mówić. Są sobie bardzo oddani.

Olivia uznała, że dla jego dobra nie będzie kontynuować tego tematu. Nie miała zamiaru zrywać jego warstwy
ochronnej ani ranić go wytykaniem, jak bardzo niewłaściwe
jest zachowanie jego małżonki. W końcu ledwo go znała
i nie miała do tego prawa.

— Musiałeś czuć się dziś bardzo samotny, gdy czekałeś
na rezultaty testów i nie miałeś z kim o tym porozmawiać. —
Zerknęła na niego ze współczuciem.

Swoimi słowami trafiła w samo sedno. Wymienili ciepłe uśmiechy pełne zrozumienia. Oboje dźwigali na barkach wielki ciężar.

— Próbowałem się czymś zająć — wyznał cicho. — Wybra-
łem się do Lasku Bulońskiego i przyglądałem się bawiącym
się dzieciom. Udałem się na spacer nad Sekwanę, pojecha-
łem do Luwru, aż w końcu wróciłem do hotelu i zająłem się
pracą. Wtedy rozległ się alarm. — Uśmiechnął się. — Reszta
jest historią.

Wkrótce miał nastać kolejny dzień. Była już niemal piąta,
oboje wiedzieli, że muszą wracać do hotelu. Rozmawiali
jeszcze pół godziny i w końcu o piątej trzydzieści opuścili
kawiarnię i udali się na poszukiwanie taksówki. Przecha-
dzali się powoli ulicami Montmartru, ona w podkoszulku,
on w koszuli z podwiniętymi rękawami, ręka w rękę, niczym
dwoje dzieciaków na pierwszej randce; czuli się wyjątkowo
swobodnie w swoim towarzystwie.

– Życie bywa dziwnie, nieprawdaż? – zapytała, podnosząc głowę. Pomyślała o Agacie Christie, zaczęła się zastanawiać, czy podczas swojego zniknięcia pisarka robiła właśnie to, czy może zdobyła się na jeszcze większą śmiałość. Nigdy niczego nie wyjaśniła po swoim powrocie. – Myślisz, że jesteś całkiem sam, aż nagle coś wynurza się z mgły całkowicie niespodziewanie i twoja samotność dobiega końca. – Nigdy nie marzyła nawet, że spotka kogoś takiego jak on. Odpowiedział na jej najskrytsze potrzeby. Tak bardzo łaknęła przyjaźni.

– Warto o tym pamiętać, gdy robi się ciężko, prawda? Nigdy nie wiesz, co czeka na ciebie za rogiem. – Uśmiechnął się do niej.

– W moim wypadku, obawiam się, za rogiem czekają wybory prezydenckie. Albo, co gorsza, kula kolejnego szaleńca.

Była to potworna myśl, która sprowokowała okropne wspomnienia zabójstwa jej szwagra. Ewidentnie kochała kiedyś głęboko Andy'ego Thatchera i nadal czuła smutek z powodu trudności i przeszkód, jakich nastręczało im życie. Peter na swój sposób współczuł im obojgu, lecz myślał przede wszystkim o Olivii. Nigdy dotąd nie widział, by jakaś ludzka istota ignorowała inną ludzką istotę tak, jak Andy Thatcher ignorował swoją żonę, ilekroć ich widywał. Mąż zachowywał się wobec niej z taką obojętnością, jakby w ogóle nie istniała, jakby jej nie dostrzegał. Jego brak zainteresowania udzielał się jego doradcom. Może miała rację, może dla nich była tylko elementem dekoracji.

– A w twoim wypadku? – zapytała z troską. – Znajdziesz się w bardzo trudnym położeniu, gdy twój produkt okaże się katastrofą w świetle tych ostatnich testów? Co z tobą zrobią w Nowym Jorku?

– Powieszą mnie za stopy i obedrą ze skóry – odparł z ponurym uśmiechem. Po chwili spoważniał. – Nie będzie łatwo. Teść zamierzał w tym roku odejść na emeryturę, chyba między innymi po to, by udzielić mi swoistego poparcia, lecz nie sądzę, by to zrobił, gdy stracimy ten produkt. Będzie bardzo ciężko, ale jakoś wytrzymam. – Nie chodziło tylko o to. Wprowadzenie Vicotecu na rynek miało uratować tysiące ludzi od śmierci, jaką poniosły jego matka i siostra. To był dla niego priorytet. Było to ważniejsze niż zyski czy reakcja Franka Donovana. A mogli przecież stracić ten produkt. Na samą myśl czuł ból w sercu.

– Żałuję, że nie mam twojej odwagi – szepnęła smutno, w jej oczach malował się bezgraniczny smutek.

– Musisz przestać uciekać, Olivio.

To już wiedziała. Jej dwuletni synek umarł w jej ramionach. Czy w życiu może przydarzyć się coś, co wymaga większej odwagi? Nie musiał jej na ten temat pouczać.

– A jeśli twoje przetrwanie zależy od ucieczki? – zapytała, patrząc na niego z powagą.

Otoczył ją ramieniem.

– Musisz być przekonana, zanim to zrobisz – odparł z taką samą powagą, żałując, że nie może jej pomóc. Ta kobieta rozpaczliwie potrzebowała przyjaciela, a on chciał się nim stać choćby na parę godzin. Wiedział też jednak, że gdy wrócą do hotelu, nie będzie mógł nawet do niej zadzwonić, by porozmawiać, a co dopiero spotkać się z nią.

– Chyba nabieram przekonania – wyznała cicho. – Lecz jeszcze nie jestem pewna. – Był to boleśnie uczciwy wniosek. Była rozpaczliwie nieszczęśliwa, lecz wciąż jeszcze nie podjęła decyzji.

– Dokąd byś uciekła? – zapytał, gdy w końcu znaleźli taksówkę i poprosili o kurs na rue Castiglione. Nie chciał jechać z nią prosto do hotelu, nie wiedzieli, czy goście zdołali już wrócić do środka, czy wciąż jeszcze czekali na placu.

Olivia uznała jego pytanie za banalnie proste. Już tam kiedyś była, już wtedy zrozumiała, że to miejsce zawsze będzie dla niej azylem.

– Jest takie miejsce, które znalazłam dawno temu, gdy studiowałam tutaj przez rok. To mała wioska rybacka na południu. Jeździłam tam na weekendy. Nie jest elegancka ani modna, jest bardzo zwyczajna, lecz to jedyne miejsce, do którego mogłam zawsze się udać, gdy chciałam na nowo odnaleźć siebie. Spędziłam tam tydzień po śmierci Alexa, lecz bałam się, że prasa w końcu mnie tam odnajdzie, i nie została dłużej. Nie chciałabym utracić tego miejsca. Chciałabym wrócić tam pewnego dnia i zostać, może nawet zacząć tam pisać książkę, o której wciąż myślę, by sprawdzić, czy dam radę. To magiczne miejsce, Peterze. Żałuję, że nie mogę ci go pokazać.

– Może pewnego dnia to zrobisz – odparł i przytulił ją, by dodać jej otuchy i okazać wsparcie. Nie próbował czynić jej awansów ani pocałować. Pragnął tego jak niczego na świecie, lecz nie mógł sobie na to pozwolić, ponieważ szanował ją i swoją żoną. Na swój sposób Olivia była dla niego fantazją, możliwość całonocnej rozmowy z nią była darem, który zamierzał cenić do końca. Czuł się jak w filmie. – Jak się nazywa ta wioska? – zapytał, a ona uśmiechnęła się i podarowała mu tę nazwę. Jakby wymieniali się tajnym hasłem.

– La Favière. Leży na południu Francji, niedaleko Cap Benat. Powinieneś tam kiedyś pojechać. To najlepsze, co mogłabym komukolwiek podarować – szepnęła, kładąc głowę na jego ramieniu.

Przez całą podróż tulił ją do siebie, wyczuwając, że tego właśnie potrzebuje. Pragnął jej powiedzieć, że zawsze będzie jej przyjacielem, że zjawi się, jeśli będzie go potrzebowała, że powinna bez wahania do niego zadzwonić, gdy tylko zapragnie, nie był jednak pewien, jak to wszystko ubrać w słowa, dlatego tylko ją tulił. Przez jedną szaloną chwilę chciał jej nawet wyznać, że ją kocha. Zastanawiał się, od jak dawna nikt jej tego nie powiedział, od jak dawna nikt nie rozmawiał z nią tak, jakby mu na niej zależało, jakby interesowały go jej uczucia.

– Jesteś szczęściarzem – szepnęła, gdy taksówka zatrzymała się na rue Castiglione, niedaleko placu Vendôme.

– Dlaczego tak uważasz? – zapytał zaintrygowany. Jedynym, co uważał za szczęście, była możliwość spędzenia z nią nocy na wzajemnych zwierzeniach i powierzaniu sobie sekretów.

– Jesteś zadowolony z życia, wierzysz w to, co robisz, wierzysz nadal w przyzwoitość rasy ludzkiej. Ja od dawna tego nie czuję, czego bardzo żałuję.

Ona nie miała tyle szczęścia. Życie było dla niego bardzo łaskawe, a dla niej okazało się wyjątkowo surowe. Nie powiedziała mu, iż podejrzewa, że jego małżeństwo jest o wiele mniej satysfakcjonujące, niż sobie wmawia, bo uznała, że Peter nawet nie zdaje sobie z tego sprawy. Miał szczęście, ponieważ nadal był ślepy na pewne kwestie, był szczery, kochający, ciężko pracował, był gotów przymykać oko na obojętność żony i fakt, że prowadzą osobne życie, oraz na oburzającą ingerencję teścia w ich sprawy. W oczach Olivii miał szczęście, ponieważ nie dostrzegał otaczającej go pustki. Wyczuwał ją może, lecz jej nie dostrzegał. Był dobrym, uczciwym, kochającym człowiekiem. Obdarował ją tej nocy taką ilością ciepła, że nawet teraz, tuż przed świtem, nie chciała go opuścić.

– Nie chcę wracać – szepnęła sennie w jego białą koszulę, wtulona w niego na tylnym siedzeniu taksówki. Oboje byli wyczerpani po emocjonującej rozmowie, powoli traciła siły.

– Nie chcę cię zostawiać – wyznał szczerze. Zmuszał się do tego, by myśleć o żonie, lecz to z tą kobietą pragnął być, nie z Kate. Nigdy z nikim nie rozmawiał tak jak z Olivią tej nocy; była taka hojna i pełna zrozumienia. A jednocześnie taka samotna, zraniona i głodna uczuć. Jak miał ją zostawić? Nie pamiętał już nawet powodów, dla których powinien to zrobić.

– Wiem, że powinnam wracać, lecz nie pamiętam dlaczego. – Uśmiechnęła się sennie, myśląc o używaniu, jakie mieliby paparazzi, gdyby ich przyłapali tej nocy. Nie mogła uwierzyć, że nie było ich tak długo. Rozmawiali na Montmartrze całymi godzinami, czuła rozpacz na myśl, że muszą powrócić do swoich ról, do swoich powinności.

Peter nagle uświadomił sobie, że nigdy nie rozmawiał z Kate tak, jak rozmawiał z Olivią tej nocy. Co gorsza, zakochiwał się w niej, a nawet jej nie pocałował.

– Oboje musimy wracać – przyznał ze smutkiem. – Zapewne wszyscy już szaleją ze strachu o ciebie. A ja muszę czekać na wieści w sprawie Vicotecu. – Gdyby nie to, z radością by z nią uciekł.

– A co potem? – Miała na myśli lek. – Nasze światy rozpadną się osobno, a my będziemy żyć dalej. Dlaczego to my musimy być odważni?

Patrzyła na niego niczym nadąsane dziecko. Uśmiechnął się na widok jej miny.

– Chyba dlatego, że do tego zostaliśmy wybrani. Gdzieś kiedyś ktoś powiedział: „Hej, ty, ustaw się w tej kolejce, będziesz jedną z odważnych". Olivio, jesteś przecież o wiele silniejsza ode mnie. – Wyczuł to w niej tej nocy i bardzo ją za to szanował.

– Nie jestem. Nie pisałam się na to wszystko. Nie miałam wyboru. To się po prostu stało. To nie odwaga, lecz ślepy los. – Spojrzała na niego, żałując, że nie należy do niej i nigdy nie będzie należeć. – Dziękuję za to, że mnie dziś śledziłeś... i za tę kawę. – Uśmiechnęła się, a on musnął palcami jej wargi.

– Zawsze do usług, Olivio... pamiętaj. Gdy tylko nabierzesz ochoty na filiżankę kawy, zjawię się... w Nowym Jorku... Waszyngtonie... Paryżu.

W ten sposób oferował jej swoją przyjaźń, wiedziała o tym. Niestety, tylko tyle mógł jej zaoferować.

– Powodzenia z Vicotekiem – powiedziała, gdy wysiadali z taksówki. – Jeśli jest ci pisane pomóc tym wszystkim ludziom, Peterze, to się wydarzy. Wierzę w to.

– Ja również – odparł cicho, już za nią tęskniąc. – Dbaj o siebie, Olivio. – Tak wiele rzeczy pragnął jej powiedzieć, życzyć jej szczęścia, przytulić ją, uciec z nią do rybackiej wioski obok Cap Benat. Dlaczego życie bywa takie niesprawiedliwe? Dlaczego nie jest hojniejsze? Dlaczego nie mogą po prostu zniknąć jak Agatha Christie?

Stali na rogu przez, jak się wydawało, całą wieczność, aż w końcu uścisnął jej dłoń po raz ostatni, a ona zniknęła za rogiem, by szybko przejść przez plac, drobna, szczupła postać w białym podkoszulku i niebieskich dżinsach. Gdy odprowadzał ją wzrokiem, zaczął się zastanawiać, czy jeszcze kiedyś ją zobaczy, choćby w hotelu. Podążył za nią, a gdy przystanęła na progu Ritza i odwróciła się, by mu ostatni raz pomachać, poczuł nienawiść do samego siebie za to, że jej nie pocałował.

Rozdział 4

Ku swemu zdumieniu Peter spał tego dnia niemal do południa. Był wyczerpany, przecież wrócił do pokoju o szóstej rano. Gdy się obudził, mógł myśleć tylko o Olivii. Bez niej czuł się wyciszony i smutny; gdy wyjrzał przez okno, zobaczył, że pada deszcz. Myślał o niej przez długi czas nad rogalikami i kawą, zastanawiał się, co się wydarzyło, gdy już wróciła do hotelu. Czy mąż był na nią wściekły, czy może przerażony, chory z nerwów, a może tylko zaniepokojony? Nie wyobrażał sobie, że Kate mogłaby mu zrobić coś takiego. Z drugiej strony, jeszcze dwa dni temu sam by się na coś podobnego nie odważył.

Z Olivią mógł rozmawiać przez całą noc. Była szczera i otwarta. Pił kawę, rozmyślając o jej uwagach na temat życia. Patrząc na swoje małżeństwo jej oczami, zyskiwał nową perspektywę, czuł uciążliwość relacji Kate z ojcem. Byli sobie tak bliscy, że on czuł się odizolowany, irytowało go to, że nie może opowiedzieć Kate o Suchardzie i o powodach, dla których został w Paryżu dłużej. Nie chciał mówić o tym Frankowi, pragnął zwierzyć się żonie, lecz wiedział, że nie może tego zrobić.

Dziwnie się czuł ze świadomością, że o wiele łatwiej było mu porozmawiać o tym poprzedniej nocy z całkowicie obcą osobą. Olivia miała w sobie tyle empatii, z łatwością zrozumiała, jakie trudne jest dla niego to oczekiwanie. Żałował, że nie może znów z nią porozmawiać; wziął prysznic i ubrał się, cały czas myśląc o niej... o jej oczach... jej twarzy... jej smutnym spojrzeniu, gdy odchodziła, i bólu, który czuł, gdy odprowadzał ją wzrokiem. Wszystko to było takie nierzeczywiste. Odczuł ulgę, gdy godzinę później zadzwonił telefon, a po drugiej stronie linii odezwała się Kate. Nagle poczuł pragnienie, by wziąć ją w ramiona, przytulić i usłyszeć jej zapewnienie, że naprawdę go kocha.

– Cześć – powiedziała. U niej była siódma rano, jej głos brzmiał rześko i nieco nerwowo, jakby już się spieszyła. – Jak Paryż?

Przez chwilę się wahał, nie wiedząc, co jej powiedzieć.

– Dobrze. Tęsknię za tobą. – Nagle poczuł przygniatający ciężar oczekiwania na decyzję Sucharda, miniona noc wydała mu się tylko iluzją. A może to Olivia była prawdziwa, a Kate była tylko snem? Wciąż czuł zmęczenie po nieprzespanej nocy, wszystko mu się myliło.

– Kiedy wracasz do domu? – zapytała, rozkoszując się kawą w kubku i dojadając śniadanie. Zamierzała złapać o ósmej pociąg do Nowego Jorku, spieszyła się.

– Mam nadzieję, że za parę dni – odparł z namysłem. – Na pewno do końca tygodnia. Suchard ma pewne opóźnienia w badaniach, postanowiłem więc tu zaczekać na wyniki. Pomyślałem, że dzięki temu szybciej skończą.

– Opóźnienia są wynikiem czegoś poważnego czy to tylko drobiazgi? – zapytała, a on niemal zobaczył Franka, który czeka na jej odpowiedź. Był pewien, że Frank powtórzył jej wszystko, czego poprzedniego dnia się od niego dowiedział. Wiedział, że musi zważać na słowa. Wszystko zapewne zaraz przekazałaby ojcu.

– To drobiazgi. Wiesz, jaki jest Suchard – odparł z nonszalancją.

– Moim zdaniem, uwielbia szukać dziury w całym. Znajdzie problem nawet tam, gdzie go nigdy nie było. Tatuś mówi, że w Genewie wszystko się udało. – Wydawała się z niego dumna, lecz jednocześnie była chłodna. Minęło wiele lat, ich związek się zmienił. Była wobec niego o wiele mniej serdeczna niż kiedyś, rzadziej okazywała uczucia, chyba że była w dobrym nastroju lub zostawali sami. Tego ranka nie darzyła go szczególnymi względami.

– W Genewie wszystko się udało. – Uśmiechnął się, próbując ją sobie wyobrazić, lecz widział tylko twarz Olivii w kuchni w domu w Greenwich. Była to osobliwa halucynacja, która go zaniepokoiła. To Katie była całym jego życiem, nie Olivia Thatcher. Otworzył szeroko oczy i utkwił wzrok w deszczu za szybą, próbując skoncentrować się na rozmowie. – Jak się udała wczorajsza kolacja z ojcem? – Zapragnął zmienić temat. Nie chciał rozmawiać z nią o Vicotecu. Porozmawiają o tym w weekend.

– Wspaniale. Snuliśmy plany na wakacje. Tata w tym roku postara się przyjechać na całe dwa miesiące – oświadczyła z zadowoleniem w głosie.

Zmusił się, by nie myśleć o tym, co mówiła Olivia o kompromisach. Dużo ich było w jego życiu od dwudziestu lat, musiał z nimi żyć.

– Wiem, że wyjeżdża na całe dwa miesiące, wszyscy postanowiliście porzucić mnie w mieście. – Uśmiechnął się na tę myśl. – A jak się miewają chłopcy? – Z jego tonu jasno wynikało, jak bardzo ich kocha.

– Są zajęci. W ogóle ich nie widuję. Pat skończył szkołę, Paul i Mike wrócili do domu w dniu twojego wyjazdu i znów to miejsce przypomina zoo. Przez cały czas zbieram z podłogi skarpetki i dżinsy i próbuję znaleźć parę do tenisówek w rozmiarze trzynastym.

Oboje wiedzieli, że mają szczęście, zostali obdarowani dobrymi dzieciakami. Peter kochał z nimi przebywać. Słowa Kate obudziły w nim gwałtowną tęsknotę.

– Co dzisiaj robisz? – zapytał, nagle posmutniawszy. Miał przed sobą kolejny dzień oczekiwania na wieści od Sucharda i żadnych zajęć poza siedzeniem w pokoju i pracą przy komputerze.

– Mam spotkanie rady w mieście. Potem chyba zjem lunch z tatą i kupię parę rzeczy na wyspę. Chłopcy zniszczyli pościel w zeszłym roku, przydałyby się też nowe ręczniki i inne drobiazgi. – Wydawała się zajęta i rozkojarzona; nie mógł nie zauważyć, że znów spotyka się z ojcem.

– Myślałem, że wczoraj jadłaś z Frankiem kolację – mruknął, marszcząc brwi. Nagle zobaczył to wszystko w innym świetle.

– Owszem. Gdy jednak wspomniałam, że wybieram się dziś do miasta, zaprosił mnie na lunch do firmy. – Co miałaby mu powiedzieć? Peter nie mógł przestać się nad tym zastanawiać. – A ty? – Zmieniła temat.

Wpatrywał się w deszcz za oknem, bębniący w dachy Paryża. Uwielbiał Paryż nawet w deszczu. Kochał to miasto.

– Myślę, że trochę popracuję w pokoju. Przywiozłem ze sobą parę rzeczy na laptopie.

– Nie brzmi to dobrze. Może chociaż zjesz kolację z Suchardem?

Chciał od niego znacznie więcej niż tylko kolacji i nie zamierzał odrywać go od jego zajęć.

– Myślę, że jest bardzo zajęty.

– Ja również. Muszę uciekać, bo spóźnię się na pociąg. Przekazać coś tacie?

Pokręcił głową z myślą, że gdyby chciał powiedzieć coś teściowi, zadzwoniłby do niego lub wysłał faks. Nie zamierzał przekazywać Frankowi wiadomości przez Kate.

– Baw się dobrze. Zobaczymy się za parę dni – odparł z nadzieją, że nic w jego głosie nie zdradzi, iż poprzednią noc spędził na obnażaniu duszy przed inną kobietą.

– Nie pracuj za ciężko – odparła spokojnie, po czym się rozłączyła.

Przez długi czas siedział w fotelu, myśląc o niej. Ich rozmowa była niesatysfakcjonująca, lecz typowa dla niej. Interesowała się jego poczynaniami, była głęboko zaangażowana w sprawy firmy. Z drugiej strony jednak nie miała dla niego czasu, nigdy nie rozmawiali o swoich przemyśleniach, nie dzielili się uczuciami. Czasami zastanawiał się, czy nie czuła przerażenia na myśl o zbliżeniu się do kogokolwiek poza ojcem. Utrata matki w tak młodym wieku obudziła w niej lęk przed stratą i porzuceniem, bała się przywiązać do kogoś poza Frankiem. Ojciec udowodnił jej swoje oddanie wielokrotnie, zawsze przy niej był. Peter również, lecz to ojciec był dla niej priorytetem. Wiele od niej wymagał. Chciał mieć dla siebie jej czas, jej zainteresowanie, jej uwagę. Wiele też dawał i oczekiwał za hojne podarki wdzięczności wyrażanej w poświęcanym mu czasie i uczuciach. Katie pragnęła od życia więcej, potrzebowała męża i synów. A jednak Peter podejrzewał, że nikogo nigdy nie kochała tak jak Franka, nawet jego ani ich synów, choć nigdy by się do tego nie przyznała. Gdy ktoś zagrażał Frankowi, walczyła o niego jak lwica. Powinna tak postępować wobec własnej rodziny, nie ojca. Była to nienaturalna cecha ich relacji, która zawsze niepokoiła Petera. Kate była przywiązana do ojca ponad zdrowy rozsądek.

Pracował przez całe popołudnie, aż w końcu o czwartej postanowił zadzwonić do Sucharda. Poczuł się śmiesznie, gdy tylko to zrobił. Paul-Louis odebrał rozmowę w laboratorium, lecz był bardzo oschły, powiedział Peterowi, że nie ma żadnych nowin, i przypomniał mu, iż obiecał zadzwonić, gdy tylko będzie miał wyniki końcowych testów.

– Wiem, przepraszam... pomyślałem tylko... – Peter poczuł się komicznie ze swoim zniecierpliwieniem, Vicotec tyle jednak dla niego oznaczał, więcej niż dla kogokolwiek innego, bezustannie o nim myślał. O nim i o Olivii Thatcher. Nie mogąc dłużej pracować, o piątej postanowił pójść na basen i sprawdzić, czy nie zdoła spalić trochę tego napięcia podczas pływania.

Szukał Olivii w windzie i w spa. Szukał jej wszędzie, lecz nigdzie jej nie zobaczył. Zastanawiał się, gdzie się dziś podziewa, co myśli o poprzedniej nocy. Była to dla niej rzadka chwila wytchnienia czy swego rodzaju punkt zwrotny? Nawiedzały go ich rozmowy, to, jak wyglądała, głębsze znaczenie wszystkiego, co mu powiedziała. Wciąż widział jej ogromne brązowe oczy, niewinność na twarzy, jej szczerość i szczupłą postać w białym podkoszulku, gdy odchodziła. Nawet pływanie nie zdołało wygnać jej z jego myśli, nie czuł się wiele lepiej, gdy wrócił na górę i włączył telewizor. Potrzebował czegoś, by oderwać się od głosów, które słyszał w głowie, od wizji kobiety, którą ledwie znał, i od obawy, że Vicotec wyląduje na śmietniku historii po testach Sucharda.

Włączył CNN i z ulgą stwierdził, że na świecie nic się nie zmieniło w tym czasie. Na Bliskim Wschodzie wciąż trwały spory, Japonię nawiedziło małe trzęsienie ziemi, ktoś rzekomo podłożył bombę w Empire State Building w Nowym Jorku, co wymagało ewakuacji tysięcy przerażonych osób na ulicę. Przypomniało mu to wydarzenia poprzedniej nocy, gdy obserwował, jak Olivia opuszcza plac Vendôme, i podążył jej śladem. Nagle zaczął się obawiać, że traci rozum. Dziennikarz CNN wymienił jej nazwisko, na ekranie pojawiła się rozmazana fotografia jej pleców w białym podkoszulku, gdy uciekała, i jeszcze bardziej rozmazana fotografia mężczyzny, który szedł za nią. Widać było tylko tył jego głowy bez żadnych znaków szczególnych.

— Małżonka senatora Andersona Thatchera zaginęła wczorajszej nocy podczas alarmu bombowego w hotelu Ritz w Paryżu. Ostatni raz widziano ją, gdy szybkim krokiem opuszczała plac Vendôme, mężczyzna na fotografii podążał za nią. Mężczyzna pozostaje niezidentyfikowany, nie wiadomo, czy śledził ją w złych zamiarach, planowo, czy może był to zwykły przypadek. Nie jest to jeden z jej ochroniarzy, nikt też go nie rozpoznał.

Peter od razu rozpoznał siebie na fotografii, na szczęście jednak nikt inny go nie zidentyfikował, było to zresztą niemożliwe na podstawie takiego ujęcia.

– Panią Thatcher ostatni raz widziano około północy wczorajszego dnia. Stróż pełniący nocną zmianę twierdzi, że widział ją, gdy wchodziła do hotelu wczesnym rankiem, nikt inny jednak nie potwierdza, by pani Thatcher wróciła do hotelu po tym, jak zrobiono to zdjęcie. Obecnie nie można stwierdzić, czy mamy do czynienia z przestępstwem, czy też może pod wpływem napięcia związanego z kampanią wyborczą pani Thatcher postanowiła odpocząć w towarzystwie znajomych w okolicach Paryża. Ta ostatnia opcja z każdą chwilą wydaje się mniej prawdopodobna. Obecnie wiemy na pewno tylko tyle, iż Olivia Douglas Thatcher zniknęła.

Peter wpatrywał się w ekran z niedowierzaniem. Pokazano montaż jej fotografii, a następnie zapowiedziano wystąpienie jej męża, z którym miejscowy reporter przeprowadził wywiad dla angielskojęzycznego kanału, który Peter oglądał. Dziennikarz zasugerował, że Olivia jest pogrążona w depresji od dwóch lat, od śmierci ich syna Alexa. Andy Thatcher zaprzeczył. Dodał też, iż jest przekonany, że jego małżonka żyje i ma się dobrze, a jeśli została porwana, odpowiedzialne za to osoby zapewne wkrótce się odezwą. Wydawał się bardzo szczery i zdumiewająco spokojny. Miał suche oczy i nie pokazywał po sobie paniki. Dziennikarz dodał jeszcze, że policja towarzyszy senatorowi i jego ekipie przez całe popołudnie, monitorując telefony i czekając na wieści od pani Thatcher. Coś w wyglądzie Andy'ego Thatchera zdradziło Peterowi, że oczekiwanie umilał sobie pracą nad kampanią wyborczą i wcale nie martwił się miejscem pobytu żony tak bardzo, jak powinien. Petera za to ogarnęło przerażenie, gdy zaczął się zastanawiać, co mogło się z nią stać po tym, jak się rozstali.

Widział, że weszła do hotelu tuż po szóstej rano. Co mogło się stać? Czuł się odpowiedzialny, zastanawiał się, czy w grę wchodzi przestępstwo, czy mogła zostać porwana, gdy szła do swego pokoju. Gdy jednak o tym myślał, wciąż napotykał tę samą wątpliwość. Myśl o porwaniu była przerażająca, lecz nie wydawała się właściwa. W jego umyśle wciąż przewijało się nazwisko Agathy Christie. Nie mógł znieść świadomości, że coś mogło się jej stać, im dłużej jednak o tym myślał, tym bardziej był przekonany, że nie ma niebezpieczeństwa. Uciekła poprzedniej nocy. Z łatwością mogłaby znów to zrobić. Może naprawdę nie była w stanie wrócić do swojego życia, choć czuła, że powinna. Przecież sama powiedziała mu, że nie wie, jak długo jeszcze zdoła to wytrzymać.

Zaczął spacerować po pokoju, myśląc o niej, i kilka minut później wiedział już, co musi zrobić. Sytuacja była niezręczna, lecz jeżeli stawką było jej bezpieczeństwo, tak właśnie należało postąpić. Musiał powiedzieć senatorowi, że to on towarzyszył jej poprzedniej nocy, gdzie byli i że odprowadził ją rankiem do hotelu. Uznał też, że powinien wspomnieć o La Favière, bo im dłużej o tym myślał, tym bardziej był przekonany, że tam właśnie pojechała. Było to jedyne miejsce na ziemi, w którym mogłaby znaleźć wytchnienie. Ledwie ją znał, lecz to wydało mu się oczywiste. Andy Thatcher wiedział na pewno, ile La Favière dla niej znaczy, lecz musiał ten fakt przeoczyć. Peter uznał, że powinien mu o tym przypomnieć i zasugerować wysłanie tam policji, by natychmiast zaczęto jej szukać. Gdyby tam jej nie było, zyskaliby ostateczny dowód, że wpadła w tarapaty.

Nie tracił czasu na oczekiwanie na windę. Wszedł na schody i pokonał dwa piętra do ich apartamentów. Olivia podała mu numer pokoju poprzedniej nocy, jej słowa potwierdziły się, gdy zobaczył policję i agentów Secret Service na korytarzu. Wydawali się przygnębieni, lecz nie byli szczególnie ponurzy. Nawet tuż przed jej apartamentem nikt nie wydawał się zmartwiony. Obserwowali go, gdy podchodził. Wyglądał godnie, włożył marynarkę, zanim opuścił pokój. Krawat trzymał w dłoni, nagle zaczął się martwić, czy Anderson Thatcher w ogóle go przyjmie. Nie chciał rozmawiać z nikim innym, czuł się dostatecznie zażenowany koniecznością wyznania, że pił kawę z małżonką senatora na Montmartrze przez sześć godzin, lecz wiedział, że musi być szczery.

Stanął przed drzwiami i poprosił o spotkanie z senatorem, ochroniarz zapytał, czy jest jego znajomym, a Peter musiał przyznać, że nie jest. Przedstawił się, poczuł się niezręcznie, nawet nie pomyślał, by zadzwonić, lecz bardzo się spieszył, odkąd się dowiedział, że Olivia zniknęła, i chciał jak najszybciej podzielić się z kimś swoimi przemyśleniami na temat miejsca jej pobytu.

Gdy ochroniarz wszedł do apartamentu, Peter usłyszał dobiegające z niego śmiechy i hałasy, strzępki rozmów, zauważył dym – wszystko to wyglądało niemal jak przyjęcie. Nabrał wątpliwości, czy ma to cokolwiek wspólnego z poszukiwaniami Olivii, był raczej skłonny uznać, że potwierdziły się jego wcześniejsze podejrzenia i że w środku omawia się sprawy kampanii wyborczej i inne kwestie polityczne.

Ochroniarz wyszedł na korytarz niemal natychmiast i przeprosił w imieniu senatora Thatchera. Senator miał właśnie spotkanie, może pan Haskell byłby tak uprzejmy i zadzwonił, aby mogli omówić sprawę przez telefon. Pan Haskell na pewno to zrozumie w świetle ostatnich wydarzeń. Oczywiście, rozumiał. Nie rozumiał natomiast, dlaczego za drzwiami wszyscy się śmiali, dlaczego ludzie nie biegali w kółko, nie panikowali z powodu jej zaginięcia. Czyżby robiła tak przez cały czas? A może nikogo to nie obchodziło? Podejrzewali to co on: że miała wszystkiego dość i zniknęła na dzień czy dwa, by zebrać myśli?

Już miał dodać, że jego wizyta jest związana z miejscem pobytu żony senatora, lecz uznał, że to zły pomysł, uświadomił sobie, jak niezręcznie by się czuł, wyjaśniając okoliczności ich spotkania na placu Zgody. Dlaczego ją śledził? Gdyby źle dobrał słowa, cała sprawa przerodziłaby się w wielki skandal, również dla niego. Zrozumiał, że niepotrzebnie tu przychodził. Powinien był zadzwonić, wrócił więc do pokoju, by to zrobić. Gdy jednak wszedł do środka, znów zobaczył zdjęcia na kanale CNN. Reporter rozważał na antenie teorie o samobójstwie i porwaniu. Pokazywali stare fotografie jej zmarłego dziecka, ujęcia z pogrzebu, na których płakała. I te przerażone oczy, które wpatrywały się w niego i błagały, by jej nie zdradzał. Po tym materiale ekspert wypowiedział się o depresji i o szalonych rzeczach, jakie robią ludzie, gdy utracą nadzieję, co musiało spotkać Olivię Thatcher po śmierci synka. Peter zapragnął rzucić czymś w kineskop. Co oni wiedzieli o jej bólu, jej życiu, jej żałobie? Jakie mieli prawo, by na antenie analizować jej życie? Cofnęli się aż do zdjęć ze ślubu i z pogrzebu jej szwagra sześć miesięcy później.

Peter miał już słuchawkę w dłoni, gdy zaczęli wymieniać tragedie, jakie dotknęły rodzinę Thatcherów, poczynając od zabójstwa Toma Thatchera poprzez śmierć Alexa Thatchera i teraz tragiczne zniknięcie Olivii Thatcher. Już nazywali je tragicznym. Zgłosiła się centrala, telefonistka zapytała, w czym może pomóc. Peter już miał jej podać numer pokoju Thatchera, gdy nagle pojął, że nie może tego zrobić. Jeszcze nie. Najpierw sam musiał się przekonać. Jeśli jej tam nie znajdzie, będzie to oznaczało, że coś jej się stało, i wtedy zadzwoni do Andy'ego. W zasadzie nic jej nie był winien, lecz po minionej nocy wiedział, że należy się jej chociaż jego milczenie. Mógł tylko mieć nadzieję, że niczym nie ryzykuje, opóźniając poszukiwania.

Gdy odłożył słuchawkę, dziennikarz CNN powiedział, że jej rodzice, gubernator Douglas z małżonką, nie skomentowali jej tajemniczego zniknięcia w Paryżu. Peter wyjął sweter z szafy. Żałował, że nie przywiózł też pary dżinsów, lecz nie miał pojęcia, że mu się przydadzą. Nie nosił ich przecież na spotkania.

Zadzwonił do recepcji, a gdy dowiedział się, że tego wieczoru nie ma już żadnych lotów do Nicei, a ostatni pociąg odchodzi za pięć minut, poprosił o samochód i mapę, która wskaże mu drogę z Paryża na południe Francji. Gdy zaproponowano mu kierowcę, wyjaśnił, że chce odbyć podróż sam, choć z kierowcą byłoby zapewne szybciej i łatwiej. Pozbawiłby się jednak przez to prywatności. Powiedziano mu, że wszystko będzie gotowe za godzinę, samochód i mapy miały czekać przed frontowym wejściem. Gdy dzwonił, była siódma, o ósmej, gdy zszedł na dół, czekało już na niego nowe renault ze stosem map na przednim siedzeniu. Portier wytłumaczył mu, jak wyjechać z Paryża. Nie miał ze sobą żadnego bagażu. Wziął tylko jabłko, butelkę wody Evian i szczoteczkę do zębów w kieszeni. Usiadł za kierownicą z poczuciem, że szuka wiatru w polu. Umówił się nawet z recepcją, że w razie potrzeby zostawi samochód w Nicei lub Marsylii i wróci do Paryża samolotem. Na wypadek gdyby jej nie znalazł. Zastanawiał się, czy w tym drugim przypadku Olivia wróci z nim. Mogliby porozmawiać w drodze powrotnej. Najwyraźniej miała wiele na głowie, być może mógłby jej pomóc to wszystko uporządkować.

Autostrada Słońca była zatłoczona nawet o tak późnej porze, dopiero za Orly ruch się zmniejszył, a Peter mógł przyspieszyć. Po dwóch godzinach dojechał do Pouilly, gdzie ogarnął go osobliwy spokój. Nie był pewien dlaczego, lecz czuł, że robi dla niej coś dobrego. Po raz pierwszy od wielu dni czuł się wolny od wszelkich obciążeń i zmartwień. Gdy wsiadł do samochodu i ruszył w długą trasę, zostawił za sobą wszystkie kłopoty. Wspaniale było rozmawiać z nią poprzedniej nocy, znalazł przyjaciela tam, gdzie się go nie spodziewał. W drodze widział przed sobą jej twarz, jej oczy nawiedzały go jak wtedy, gdy ją po raz pierwszy zobaczył. Przypomniał sobie wieczór na basenie, gdy pływała obok niego niczym drobna, zwinna czarna rybka... a potem przebiegła plac Vendôme ku wolności... brak nadziei w jej oczach, gdy wracali do hotelu... aurę spokoju, która ją otoczyła, gdy mówiła o małej wiosce rybackiej. Uganianie się za nią po całej Francji było szaleństwem, wiedział to. Przecież ledwie ją znał. A jednak musiał to zrobić, tak jak poprzedniej nocy musiał za nią pójść. Z nieznanych ani jemu, ani nikomu innemu powodów po prostu musiał ją odnaleźć.

Rozdział 5

Droga do La Favière była nudna i długa, lecz dzięki prędkościom, które mógł rozwijać, Peter dotarł tam szybciej, niż się spodziewał; podróż zabrała mu dokładnie dziesięć godzin. Do wioski wjechał powoli o szóstej, właśnie wstawało słońce. Jabłko zjadł już dawno temu, pusta butelka po wodzie spoczywała na siedzeniu obok niego. Zatrzymał się na kawę raz czy dwa, włączył też radio, by nie zasnąć. Jechał z opuszczonymi szybami i gdy w końcu dotarł do celu, był naprawdę wyczerpany. Nie spał przez całą noc, po raz drugi w ciągu czterdziestu ośmiu godzin, i nawet jego podekscytowanie z powodu dotarcia do celu i adrenalina zaczynały słabnąć; zrozumiał, że musi się przespać godzinę, zanim zacznie jej szukać. Na szukanie i tak było jeszcze za wcześnie. Poza rybakami, którzy jechali już w stronę portu, wszyscy w La Favière jeszcze spali. Zjechał na pobocze i przeniósł się na tylne siedzenie. Było ciasne, lecz niczego więcej nie potrzebował.

O dziewiątej obudziły go głosy dzieci, które bawiły się obok samochodu. Nad ich głowami krzyczały mewy. Gdy usiadł, otoczyła go taka różnorodność dźwięków, że poczuł się tak, jakby umarł. Miał za sobą długą noc i długą jazdę. Jeśli tylko ją odnajdzie, wszystko okaże się tego warte. Usiadł i przeciągnął się, a gdy zobaczył swoje odbicie w lusterku, wybuchnął śmiechem. Wyglądał okropnie, mógłby nawet straszyć dzieci.

Przeczesał włosy i umył zęby resztką wody Evian; gdy doprowadził się do porządku, wysiadł z auta, by rozpocząć poszukiwania. Nie miał pojęcia, gdzie zacząć, poszedł więc za dziećmi, które słyszał, do piekarni, gdzie kupił pain au chocolat. Usiadł z rogalikiem nad wodą. Kutry rybackie już wypłynęły, w porcie cumowały tylko małe holowniki i żaglówki, starsi ludzie spacerowali grupami, omawiając różne sprawy, mężczyźni łowili ryby. Słońce stało już wysoko na niebie, gdy Peter rozejrzał się i uznał, że Olivia miała rację. Było to doskonałe miejsce na azyl, spokojne, piękne, wyjątkowe i ciepłe niczym uścisk starego przyjaciela. Za portem rozciągała się długa piaszczysta plaża. Zjadł rogalik i udał się na spacer po piasku, marząc o filiżance kawy. Słońce i morze hipnotyzowały go, gdy zastanawiał się, jak ją odszuka. Przeszedł niemal całą plażę i usiadł na skale, myśląc o niej i zastanawiając się, czy będzie zła, gdy ją znajdzie, czy w ogóle tu jest. Po chwili podniósł głowę i zobaczył dziewczynę nadchodzącą z przeciwka. Szła boso, miała na sobie podkoszulek i szorty, była drobna i szczupła, jej ciemne włosy rozwiewał wiatr; podniosła głowę i uśmiechnęła się do niego. Tak właśnie miało być. Bez wysiłku, zwyczajnie. Stała tam i uśmiechała się do niego, jakby na niego czekała. Z uśmiechem przeznaczonym tylko dla niego Olivia Thatcher powoli podeszła bliżej.

– To chyba nie jest zbieg okoliczności – powiedziała cicho, siadając obok niego na skale.

Wciąż był oszołomiony, nie poruszył się, odkąd ją zobaczył. Był zbyt zdumiony tym, że ją odnalazł.

– Powiedziałaś, że wracasz – odparł, patrząc jej głęboko w oczy. Nie był zły ani nawet zaskoczony, w jej towarzystwie odzyskał spokój.

– Miałam taki zamiar, lecz gdy weszłam do hotelu, zrozumiałam, że nie mogę. – Na jej twarzy odmalował się smutek. – Skąd wiedziałeś, że tu jestem? – zapytała łagodnie.

– Z CNN. – Uśmiechnął się, a ona zrobiła przerażoną minę.

– Wiedzą, że tu jestem?

Roześmiał się na to pytanie.

– Nie, moja droga. Powiedzieli tylko, że zniknęłaś. Przez cały dzień wyobrażałem sobie, że wróciłaś do roli żony senatora, choć niechętnie, a o szóstej włączyłem wiadomości i mówili o tobie. Najwyraźniej doszło do porwania, mają moje zdjęcie, gdy szedłem za tobą przez plac Vendôme, jestem podejrzewany o uprowadzenie, lecz na szczęście na zdjęciu nie widać wiele. – Uśmiechał się. Było to absurdalne i trochę szalone. Postanowił nie wspominać o doniesieniach o jej rzekomej depresji.

– Dobry Boże, nie miałam pojęcia. – Przez chwilę myślała nad jego słowami. – Zamierzałam zostawić Andy'emu liścik, że wrócę za parę dni. Ostatecznie jednak nawet tego nie zrobiłam. Po prostu wyszłam. I przyjechałam tutaj. Pociągiem – dodała w formie wyjaśnienia.

Skinął głową, próbując zrozumieć, co go tu przywiodło. Śledził ją już po raz drugi, przyciągany siłą, której źródeł nie potrafił wyjaśnić i której nie mógł się oprzeć. Spojrzała mu głęboko w oczy, żadne z nich się nie poruszyło. Pieścił ją wzrokiem, lecz się nie dotykali.

– Cieszę się, że przyjechałeś.

– Ja również... – Nagle znów wyglądał jak młody chłopak, bryza mierzwiła mu włosy i muskała powieki. Jego tęczówki miały barwę letniego nieba, gdy się jej przyglądał. – Nie byłem pewien, czy się nie pogniewasz, gdy cię odnajdę. – Martwił się tym przez całą drogę z Paryża. Mogła przecież uznać jego postępek za niewybaczalną nachalność.

– Jak mogłabym się gniewać? Byłeś dla mnie taki miły... słuchałeś... zapamiętałeś. – Była oszołomiona tym, że ją odnalazł, że zależało mu na tyle, by spróbować. Od Paryża dzieliło ich wiele kilometrów. Zerwała się energicznie ze skały niczym mała dziewczynka i podała mu rękę. – Chodź, zapraszam cię na śniadanie. Musisz umierać z głodu po całonocnej podróży. – Ujęła go pod ramię i razem zawrócili w kierunku portu. Była boso, miała wąskie, eleganckie stopy, piasek był gorący, lecz jej zdawało się to w ogóle nie przeszkadzać. – Jesteś zmęczony?

Wybuchnął śmiechem, gdy przypomniał sobie, jaki był wyczerpany, gdy dotarł do celu.

– Nic mi nie jest. Przespałem się, gdy tu dojechałem. Nie sypiam dużo, gdy jesteś w pobliżu. – Gdy była w pobliżu, życie nie było nudne. Bez wątpienia.

– Przepraszam – odparła.

Zaprowadziła go do maleńkiej restauracji, oboje zamówili omlety, rogaliki i kawę. Posiłek okazał się aromatyczny i wyśmienity, Peter dosłownie go pożarł. Ona tylko skubała swoją porcję. Obserwowała go i piła mocną czarną kawę.

– Wciąż nie mogę uwierzyć, że tu jesteś – oświadczyła cicho. Wyglądała na zadowoloną, lecz także smutną. – Andy nigdy by czegoś takiego nie zrobił. Nawet na samym początku.

– Próbowałem powiedzieć twojemu mężowi o tym miejscu – przyznał.

W jej oczach błysnął niepokój.

– Słucham? Powiedziałeś mu, dokąd pojechałam? – Nie chciała, by Andy tu przyjeżdżał. Nie miała nic przeciwko obecności Petera, cieszyła się nawet, że się zjawił, lecz nie była jeszcze gotowa na spotkanie z Andym. To głównie z jego powodu musiała tu przyjechać.

– Ostatecznie niczego mu nie powiedziałem – uspokoił ją od razu. – Chciałem, lecz zbyto mnie, gdy poszedłem do jego apartamentu, by się z nim zobaczyć. Byli tam policja, agenci Secret Service, ochroniarze, chyba mieli jakieś spotkanie.

– Jestem pewna, że ze mną nie miało to nic wspólnego. Andy ma niemal nieprawdopodobne wyczucie w kwestii tego, kiedy należy się martwić, a kiedy nie. To dlatego nie zostawiłam mu nawet listu. Chyba źle postąpiłam, lecz on zna mnie na tyle dobrze, by wiedzieć, że nic mi nie jest. Nie sądzę, by naprawdę wierzył, że zostałam porwana.

– Również odniosłem takie wrażenie – przyznał Peter z wahaniem. Gdy był w apartamencie senatora, nie wyczuł atmosfery paniki, która niewątpliwie by zapanowała, gdyby ktokolwiek podejrzewał, iż Olivia naprawdę znalazła się w niebezpieczeństwie. Nie sądził, by Anderson Thatcher był zmartwiony, to dlatego poczuł, że może sam tu przyjechać, a do niego zadzwonić później. – Zadzwonisz do niego, Olivio? – zapytał z troską. Uznał, że powinna to zrobić.

– W końcu zadzwonię. Nie wiem jeszcze, co chcę mu powiedzieć. Nie jestem pewna, czy zdołam wrócić, choć podejrzewam, że będę musiała, chociaż na krótko. Jestem mu winna wyjaśnienie. – Co jednak miała mu wyjaśnić: że nie chce już z nim żyć, że kochała go kiedyś, lecz to już umarło, że zdradził każdą jej nadzieję, każdy cień przyzwoitości, wszystko, na czymkolwiek jej zależało i czego od niego pragnęła? Jej zdaniem, nie było już do czego wracać. Zrozumiała to tamtej nocy, gdy włożyła klucz do zamka apartamentu i nie zdołała go przekręcić. Nie była w stanie wrócić. Zrobiłaby wszystko, co w jej mocy, by od niego uciec. Ona również nic już dla niego nie znaczyła. Wiedziała to od lat. Przez większość czasu jej egzystencja była mu całkowicie obojętna.

– Olivio, czy ty chcesz go zostawić? – zapytał łagodnie Peter, gdy zjedli śniadanie. Nie była to jego sprawa, lecz jechał dziesięć godzin, by się upewnić, że nic jej się nie stało. To dawało mu pewne prawo do minimum informacji.

– Chyba tak.

– Jesteś pewna? W twoim świecie wywoła to zapewne ogromny skandal.

– Nie większy, niż gdyby cię tu ze mną znaleźli. – Roześmiała się, on również. Nie mógł się z nią nie zgodzić. Po chwili znów spoważniała. – Skandal mnie nie przeraża. To tylko dużo hałasu. Nie na tym polega problem. Nie mogę już dłużej żyć kłamstwami, udawaniem, fałszem polityki. Wystarczy mi tego na dziesięć istnień. Nie zdołam przetrwać kolejnych wyborów.

– Myślisz, że Andy wystartuje w wyborach w przyszłym roku?

– To możliwe. Bardziej niż prawdopodobne. Jeśli to zrobi, nie zdołam mu towarzyszyć. Jestem mu coś winna, lecz nie to. Nie może mnie o to prosić. Rozpoczęliśmy wspólne życie z właściwych powodów, wiem, że Alex wiele dla niego znaczył, choć nigdy go przy nim nie było. Rozumiałam to jednak. Andy bardzo się zmienił po śmierci brata. Jakaś jego część umarła wraz z nim. Zdradził to, kim kiedyś był, i to, na czym mu zależało, dla polityki. Ja tak nie potrafię. Nie rozumiem, dlaczego niby powinnam. Nie chcę skończyć jak moja matka. Za dużo pije, miewa migreny, koszmary, żyje w ciągłym strachu przed prasą, jej ręce trzęsą się przez cały czas. Jest bezustannie przerażona, że zrobi coś, co negatywnie wpłynie na ojca. Nikt nie może żyć pod taką presją. Jest w okropnym stanie od lat, lecz wygląda świetnie. Zawsze w makijażu, po liftingu, ukrywa, jak bardzo się boi. A tato ciągnie ją za sobą na każde spotkanie, wykład, przemówienie i wiec. Gdyby zdobyła się na szczerość, przyznałaby, że nienawidzi go za to, lecz nigdy tego nie zrobi. Zrujnował jej życie. Powinna od niego odejść wiele lat temu, może gdyby to zrobiła, byłaby inną osobą. Myślę, że została z nim tylko dlatego, żeby nie przegrał wyborów. – Peter słuchał jej z powagą wymalowaną na twarzy, chłonąc jej słowa. – Gdybym wiedziała, że Andy zaangażuje się w politykę, nigdy bym za niego nie wyszła. Chyba mogłam się tego spodziewać – podsumowała z goryczą.

– Nie mogłaś wiedzieć, że jego brat zostanie zamordowany i jego w to wciągną – zauważył Peter.

– Może to tylko wymówka, może to wszystko i tak by się rozpadło. Kto wie? – Wzruszyła ramionami i odwróciła twarz do okna. Kutry wyglądały jak zabawki na horyzoncie. – Tu jest tak pięknie... chciałabym zostać tu na zawsze.

– Naprawdę? Wrócisz tu, jeśli go zostawisz? – Chciał wiedzieć, gdzie ma ją sobie wyobrażać, gdzie ją umiejscawiać oczami wyobraźni, gdy będzie o niej myślał podczas długich chłodnych zimowych nocy w Greenwich.

– Być może – odparła. Wciąż nie była pewna wielu rzeczy. Wiedziała tylko, że musi wrócić do Paryża i porozmawiać z Andym, choć nie chciała tego robić. Jeśli pozwoli, by sprawa jej porwania nabrzmiewała jeszcze przez dwa dni, po jej powrocie Andy rozpęta prawdziwy cyrk.

– Wczoraj rozmawiałem z żoną – szepnął Peter, gdy Olivia w milczeniu rozmyślała o mężu. – Dziwnie się czułem, po tym wszystkim, co sobie powiedzieliśmy tamtej nocy. Zawsze usprawiedliwiałem wszystko, co robiła... również jej związek z ojcem, choć wcale mi się to nie podobało. Po rozmowie z tobą zaczęło mnie to nagle irytować. – Był z nią taki szczery, gotowy wyznać wszystkie uczucia. Była taka otwarta, bezpośrednia, a jednak uważała, by go nie zranić, co wyczuwał. – Zjadła z nim kolację poprzedniego wieczoru. A wczoraj lunch. Spędzi z nim dwa letnie miesiące, będą razem od rana do nocy. Czasami czuję się tak, jakby była jego żoną, a nie moją. Chyba zawsze się tak czułem. Pocieszałem się tym, że mamy udane życie, nasi synowie są wspaniali, a jej ojciec pozwala mi na wszystko w biznesie. – Przez długi czas tak mu się wydawało, lecz nagle przestało.

– Pozwala ci na wszystko? – Naciskała, na co nie odważyła się w Paryżu. Tym razem jednak to on poruszył ten temat. Lepiej się znali. Jego przyjazd do La Favière jeszcze bardziej ich do siebie zbliżył.

– Frank pozwala mi prawie na wszystko. Przez większość czasu. – Nie kontynuował. Znaleźli się na niepewnym gruncie. Olivia była gotowa zostawić Andy'ego, miała swoje powody, lecz on nie chciał narażać swojego małżeństwa z Katie. Tego był pewien.

– A jeśli Vicotec źle wypadnie w trwających obecnie testach? Co wtedy zrobi?

– Mam nadzieję, że z niego nie zrezygnuje. Będziemy musieli poświęcić więcej czasu na badania, co bez wątpienia zwiększy koszty. – Było to niedopowiedzenie stulecia, lecz nie mógł sobie wyobrazić, by Frank się teraz wycofał. Przecież uważał Vicotec za genialny wynalazek. Musieli tylko przyznać przed komisją FDA, że jeszcze nie są gotowi.

– Wszyscy czasami musimy iść na kompromisy – wtrąciła Olivia cicho. – Problem pojawia się wtedy, gdy dochodzimy do wniosku, że było ich za dużo. Może w twoim wypadku też tak jest, a może nie ma to znaczenia, dopóki jesteś szczęśliwy. Jesteś? – zapytała, patrząc mu prosto w oczy. Nie pytała jako kobieta, lecz jako jego przyjaciel.

– Chyba tak. – Ogarnęła go konsternacja. – Zawsze tak sądziłem, lecz szczerze mówiąc, gdy cię słucham, Olivio, zaczynam się zastanawiać. Zrezygnowałem z tak wielu rzeczy. Z decyzji, gdzie będziemy mieszkać, do jakich szkół pójdą chłopcy, gdzie spędzimy wakacje. I co z tego, kogo to obchodzi? Może jednak mnie? Może nie dbałbym o to wszystko, gdyby Katie mnie wspierała, lecz nagle słucham jej i dochodzę do wniosku, że nie wspiera. Albo ma spotkanie jakiegoś komitetu, albo robi coś dla chłopców, dla siebie czy dla ojca. Od dawna tak jest, odkąd chłopcy wyjechali do szkół, a może nawet dłużej. Byłem jednak tak zajęty, że tego nie zauważałem. I nagle, po osiemnastu latach, nie mam z kim porozmawiać. Rozmawiam z tobą w wiosce rybackiej na południu Francji o sprawach, o których nie mógłbym powiedzieć jej... ponieważ jej nie ufam. To przerażający wniosek, a jednak... – Spojrzał na nią z namysłem i ujął ją za rękę. – Nie chcę jej zostawiać. Nigdy nie przyszło mi to do głowy. Nie wyobrażam sobie tego, nie wyobrażam sobie życia innego niż to, które dzielę z nią i z naszymi synami... Nagle jednak zrozumiałem coś, czego się nie domyślałem albo nie chciałem stawić temu czoła. Zostałem całkiem sam.

Olivia w milczeniu skinęła głową. Znała to uczucie, podejrzewała to od ich pierwszej rozmowy w Paryżu. Była jednak pewna, że Peter nie jest tego świadom. Wszystko toczyło się swoim trybem, dopóki nagle nie napotkał przeszkody w miejscu, w którym się jej nie spodziewał. Po chwili spojrzał na Olivię z rozbrajającą szczerością, gdyż nagle odkrył coś jeszcze.

– Niezależnie od tego, jak się czuję, jak bardzo mnie zawiodła, chyba nie miałbym odwagi, by ją zostawić. To wywołałoby tyle komplikacji. – Już sama myśl o rozpoczęciu wszystkiego od nowa go przygnębiała.

– To nie jest łatwe – przyznała cicho, myśląc o sobie i wciąż ściskając jego dłoń. Nie myślała o nim gorzej przez to, co właśnie powiedział. Wręcz przeciwnie, zaimponował jej tym, że zdołał się do tego przyznać. – Mnie także to przeraża. Ty przynajmniej masz z nią jakieś życie, nawet jeśli ma ono wady. Jest przy tobie, rozmawia z tobą, troszczy się o ciebie na swój sposób, nawet jeśli ma swoje ograniczenia i jest zbyt przywiązana do ojca. Na pewno jest lojalna wobec ciebie i wobec waszych dzieci. Macie wspólne życie, Peterze, nawet jeśli nie jest ono doskonałe. Andy i ja nie mamy niczego. Od lat. Był nieobecny niemal od samego początku.

Podejrzewał, że to prawda, i nie zamierzał bronić senatora.

– W takim razie może powinnaś odejść. – Martwił się o nią, wydawała się taka delikatna i krucha. Nie chciał, by była sama, nawet w tej uroczej małej wiosce. Wciąż myślał o tym, jakie bolesne będzie rozstanie z nią. Po zaledwie dwóch dniach stała się dla niego bardzo ważna, nie wyobrażał sobie, że mógłby z nią nie rozmawiać. Legenda, którą spotkał w windzie, stała się kobietą. – Mogłabyś wrócić do rodziców na jakiś czas, dopóki wszystko się nie uspokoi, a potem przyjechać tutaj?

Próbował pomóc jej wszystko zaplanować. Uśmiechnęła się do niego. Naprawdę byli przyjaciółmi, wspólnikami przestępstwa nawet.

– Być może. Nie jestem pewna, czy moja matka ma w sobie tyle siły, by znieść tę sytuację, zwłaszcza jeśli ojciec się sprzeciwi i stanie po stronie Andy'ego.

– Urocze – mruknął z dezaprobatą. – Myślisz, że jest gotów to zrobić?

– Owszem. Politycy trzymają z sobą. Mój brat z zasady zgadza się ze wszystkim, co robi Andy. A mój ojciec zawsze go wspiera. Dla nich to świetny układ, dla reszty z nas okropność. Ojciec jest przekonany, że Andy powinien ubiegać się o prezydenturę. Moja decyzja nie spotka się z aprobatą. Zmniejszy jego szanse albo całkowicie wykluczy go z wyścigu. Rozwiedziony prezydent... to nie do pomyślenia. Osobiście uważam, że oddaję mu przysługę. Ta funkcja to koszmar. Życie z piekła rodem. Co do tego nie mam wątpliwości. Mnie by to zabiło.

Przytaknął zdumiony, że w ogóle o tym rozmawiają. Jego życie było skomplikowane, zwłaszcza teraz, gdy wypłynęła sprawa Vicotecu, lecz było zdecydowanie prostsze niż jej. Przynajmniej miał zapewnioną prywatność. Każdy jej krok był analizowany. Nikt w jego rodzinie nawet nie myślał o ubieganiu się o funkcje publiczne, z wyjątkiem Katie, która zasiadała w zarządzie szkoły. Olivia natomiast była spokrewniona z gubernatorem, senatorem, kongresmenem i prezydentem w nieodległej przyszłości przy założeniu, że go nie zostawi. Zdumiewające.

– Myślisz, że mogłabyś z nim zostać, gdyby zdecydował się wystartować?

– Nie sądzę. Ta kropla przepełniłaby czarę. Wszystko jest jednak możliwe. Mogę stracić rozum, może mnie związać, zakneblować i ukryć w szafie. Mógłby mówić ludziom, że śpię.

Peter się uśmiechnął, wyszli z restauracji ramię w ramię po tym, jak zapłacił za śniadanie. Był zaskoczony niskimi cenami jedzenia.

– Gdyby to zrobił, przyjechałbym i znów cię uratował – zapewnił ją z uśmiechem, gdy usiedli na nabrzeżu z nogami nad wodą. Wciąż miał na sobie białą koszulę i spodnie od garnituru, ona była boso. Stanowili intrygujący kontrast.

– To właśnie zrobiłeś tym razem? – zapytała, opierając się o niego swobodnie z szerokim uśmiechem. – Uratowałeś mnie? – Spodobały się jej te słowa. Od wieków nikt jej nie ratował, był to bardzo miły gest.

– Myślałem, że tak... wiesz, przed porywaczami, terrorystami czy kimkolwiek był ten facet w białej koszuli, który śledził cię w Paryżu. Moim zdaniem wyglądał bardzo podejrzanie. Uznałem, że misja ratunkowa jest konieczna. – Uśmiechał się do niej; słońce paliło ich skórę, gdy wymachiwali nogami jak dzieci.

– To mi się podoba – odparła, po czym zasugerowała, by wrócili na plażę. – Moglibyśmy wrócić do mojego hotelu i pójść popływać.

Wyśmiał jej pomysł. Nie mógł przecież pływać w spodniach.

– Moglibyśmy kupić ci jakieś szorty albo kąpielówki. Nie można marnować takiej pogody.

Spojrzał na nią ze smutkiem. Nie zamierzał marnować ani chwili z nią, lecz istniały określone granice tego, do czego mieli prawo.

– Powinienem wracać do Paryża. Dojazd tutaj zajął mi niemal dziesięć godzin.

– Nawet nie żartuj. Przecież nie przyjechałeś tylko na śniadanie. Poza tym nie masz nic do roboty poza czekaniem na telefon od Sucharda, który może nie zadzwonić. Skontaktuj się z hotelem, zapytaj o wiadomości, a oddzwonić do niego możesz stąd, jeśli będzie trzeba.

– Tak też mogę zrobić. – Rozbawiła go łatwość, z jaką zbyła wszystkie jego zobowiązania.

– Mógłbyś wynająć pokój w moim hotelu, a jutro wrócilibyśmy razem – dodała rzeczowo, odkładając ich powrót o jeszcze jeden dzień.

Peter nie był pewien, czy powinien jej na to pozwolić, choć zaproszenie było bardziej niż kuszące.

– Nie należałoby chociaż do niego zadzwonić? – zasugerował cicho, gdy szli po plaży, trzymając się za ręce w oślepiającym słońcu. Gdy spojrzał na jej promienną minę, uświadomił sobie, że nigdy w życiu nie czuł się tak wolny.

– Niekoniecznie – odparła bez skruchy. – Pomyśl o zainteresowaniu mediów, jakie wzbudzi, o współczuciu i całej tej uwadze. Nie mogłabym mu tego popsuć.

– Za długo tkwisz już w polityce. – Roześmiał się mimo woli i usiadł na piasku obok niej, gdy pociągnęła go za rękę. Wcześniej zdjął buty i skarpetki, niósł je w dłoni. Czuł się jak plażowy włóczęga. – Zaczynasz myśleć jak oni.

– Nigdy. Nie jestem jeszcze dostatecznie zepsuta. Nie mogłabym być. Nie pragnę niczego na tyle mocno. Jedyne, czego chciałam od życia, utraciłam. Teraz nie mam już niczego do stracenia.

Były tu najsmutniejsze słowa, jakie kiedykolwiek słyszał, wiedział, że mówi o swoim dziecku.

– Możesz przecież jeszcze mieć dzieci, Olivio – szepnął łagodnie, gdy położyła się na piasku obok niego z zamkniętymi oczami, jakby wierzyła, że nie odczuje bólu, jeśli go nie zobaczy. Dostrzegł łzy w kącikach jej oczu, otarł je delikatnie. – To musiało być straszne... tak bardzo mi przykro... – Zapragnął zapłakać razem z nią, wziąć ją w ramiona, zdjąć z jej barków ciężar żalu, który dźwigała od sześciu lat. Mógł jednak tylko na nią patrzeć.

– To było straszne – szepnęła, zaciskając powieki. – Dziękuję, Peterze... za to, że jesteś moim przyjacielem... że jesteś tutaj.

Uchyliła powieki i spojrzała na niego. Ich oczy się spotkały. Przebył dla niej długą drogę, w tej małej francuskiej wiosce, ukryci przed wszystkimi, którzy ich znali, obdarowali się nawzajem wsparciem ze świadomością, że będzie to trwało, dopóki będą mieli odwagę. Oparł się na łokciu i spojrzał na nią z całkowitą pewnością, że nigdy do nikogo nie czuł tego co do niej, że nigdy nie znał nikogo takiego. Nie był w stanie myśleć o niczym i o nikim więcej.

– Pragnę ci pomóc – powiedział cicho, muskając jej twarz i wargi palcami – choć nie mam do tego prawa. Nigdy tego nie robiłem. – Przebywanie z nią było torturą i jednocześnie balsamem, który koił jego zranioną duszę. Nigdy nie przytrafiło mu się nic równie dobrego, a jednak był rozdarty.

– Wiem. – W głębi serca, duszy i umysłu wiedziała o nim wszystko. – Niczego od ciebie nie oczekuję – wyjaśniła. – Już pomogłeś mi bardziej niż ktokolwiek w ostatniej dekadzie. Nie mogę cię prosić o więcej... i nie chcę, byś był nieszczęśliwy – dodała, patrząc na niego ze smutkiem. Na swój sposób wiedziała o wiele więcej niż on o życiu, żalu, stracie, bólu i zdradzie.

– Sza... – Przycisnął palec do jej ust, po czym ułożył się obok niej, wziął ją w ramiona i pocałował.

W pobliżu nie było nikogo, kto by to widział, kto dbałby o to, co robią, pstrykał zdjęcia albo zamierzał ich powstrzymać. Mieli tylko swoje sumienie, przeszkody, które przywieźli ze sobą, leżały na brzegu morza niczym szczątki wyniesione przez fale. Ich dzieci, współmałżonkowie, wspomnienia, życie. To wszystko utraciło znaczenie, gdy pocałował ją z pasją, która wzbierała w nim od lat i nigdy nie została zapomniana. Trzymali się w ramionach przez długi czas, jej pocałunki były równie wygłodniałe jak jego, jej dusza jeszcze bardziej spragniona. Upłynęło dużo czasu, zanim przypomnieli sobie, kim są, i z trudem się rozdzielili. Leżeli na piasku, uśmiechając się do siebie.

– Kocham cię, Olivio – wyznał bez tchu. To on pierwszy przemówił, po czym ją przytulił. Leżeli obok siebie na piasku, wpatrując się w niebo. – Takie wyznanie musi ci się wydać szaleństwem po zaledwie dwóch dniach, lecz czuję się tak, jakbym znał cię całe życie. Nie mam prawa ci tego mówić... lecz kocham cię. – Spojrzał na nią, a w jego oczach rozbłysło coś, czego wcześniej tam nie było.

– Ja też cię kocham. Bóg jeden wie, co z tego wyniknie, zapewne niewiele, lecz nigdy nie byłam taka szczęśliwa. Może oboje powinniśmy uciec. Do diabła z Vicotekiem i Andym.

Oboje wybuchnęli śmiechem, gdy uświadomili sobie, że nikt nie ma pojęcia, gdzie się podziewają. Ona była uważana za ofiarę porwania albo czegoś jeszcze gorszego, on po prostu zniknął w wynajętym samochodzie z butelką Evian i jabłkiem. Świadomość, że nikt nie może ich odnaleźć, uderzała do głowy niczym szampan.

Nagle Peter pomyślał o czymś. A może Interpol jest już w drodze?

– Jak to możliwe, że twój mąż nie domyślił się, iż mogłaś tu przyjechać? – Dla niego było to takie oczywiste.

– Nigdy mu nie opowiadałam o tym miejscu. To był mój sekret.

– Naprawdę? – Ogarnęło go zdumienie. Powiedziała mu o tym podczas ich pierwszej rozmowy, a nigdy nie powiedziała Andy'emu? Pochlebiło mu to. Jej zaufanie wydawało się wyjątkowe, lecz było odwzajemnione. Nie było na świecie niczego, czego nie mógłby jej powiedzieć lub już nie powiedział. – W takim razie chyba jesteśmy bezpieczni. Przynajmniej przez kilka godzin.

Był zdecydowany, by wracać po południu, lecz gdy kupili dla niego kąpielówki i popływał w morzu, jego silna wola zaczęła słabnąć. Było to o wiele bardziej ekscytujące niż pływanie w basenie w Ritzu. Wtedy nawet jej nie znał, a już go hipnotyzowała, gdy przepływała obok. Teraz płynęła tak blisko niego, że z trudem to znosił.

Wyznała, że pływanie w morzu ją przeraża, że z tego powodu nigdy nie lubiła żeglowania. Bała się prądów i fal oraz ryb, które pływały wokół niej. Przy nim jednak czuła się bezpieczna, dopłynęli więc do małej łódki przywiązanej do boi. Wspięli się do niej i odpoczywali przez chwilę; musiał zebrać w sobie wszystkie siły, by nie kochać się z nią właśnie tam, w małym czółnie. Zawarli jednak umowę. Peter był przekonany, że jeśli do czegokolwiek dopuszczą, wszystko pomiędzy sobą popsują. Zżerałoby ich poczucie winy, a oboje mieli świadomość, że to, co rozkwitło pomiędzy nimi, nie miało innej przyszłości niż przyjaźń. Nie mogli sobie pozwolić na ryzyko zniszczenia tego dla kaprysu. Choć małżeństwo Olivii było o wiele bardziej niepewne niż jego i mniej stabilne, zgodziła się z nim. Romans tylko skomplikowałby sprawy, gdyby wróciła do Paryża, by porozmawiać z Andym. Z trudem jednak utrzymywali swoją relację na płaszczyźnie platonicznej i ograniczali się tylko do pocałunków. Poruszyli ten temat raz jeszcze, gdy wrócili na plażę, próbowali nie dać się ponieść, lecz nie było to łatwe. Ich ciała były mokre i śliskie, gdy leżeli obok siebie i rozmawiali o rzeczach, które są dla nich ważne. Dyskutowali o swoim dzieciństwie w Waszyngtonie i Wisconsin. Opowiedział jej, jak bardzo wyobcowany czuł się w domu rodzinnym, jak pragnął więcej i jaki był szczęśliwy, gdy odnalazł Katie.

Gdy zapytała go o rodzinę, wyznał, że jego matka i siostra zmarły na raka i to dlatego Vicotec tak wiele dla niego znaczy.

– Gdyby wtedy miały dostęp do leku, mogłoby to wiele zmienić – podsumował ze smutkiem.

– Być może – odparła filozoficznie. – Czasami jednak nie możesz wygrać, nawet jeśli masz pod ręką wiele cudownych leków. – Oni próbowali wszystkiego, lecz nie zdołali ocalić Alexa. – Czy twoja siostra miała dzieci?

Gdy przytaknął, jego oczy wypełniły się łzami, utkwił wzrok w oddali.

– Odwiedzają cię?

Ogarnął go wstyd. Spojrzał Olivii w oczy świadom, jak bardzo się mylił. Dzięki jej obecności zapragnął to zmienić. Zapragnął zmienić wiele rzeczy, a niektóre z tych zmian były łatwiejsze niż inne.

– Mój szwagier się przeprowadził, po roku ponownie się ożenił. Długo nie miałem od niego żadnej wiadomości. Nie wiem czemu, może chciał to wszystko zostawić za sobą. Zadzwonił i powiedział, gdzie są, dopiero gdy jego nowa żona potrzebowała pieniędzy. Doczekali się chyba razem kolejnych dzieci. Pozwoliłem, by Katie wmówiła mi, że upłynęło za dużo czasu, że ich to zapewne już nie obchodzi, a dzieci by mnie nie poznały. Zapomniałem o tym i przestałem się z nimi kontaktować. Mieszkali na ranczu w Montanie, gdy po raz ostatni rozmawialiśmy. Czasami myślę, że Katie podoba się, iż nie mam żadnej rodziny poza nią, chłopcami i Frankiem. Nie dogadywała się z moją siostrą, była wściekła, że to Muriel odziedziczyła farmę, nie ja. Ojciec słusznie postąpił, że jej ją ofiarował. Ja farmy nie chciałem, nie potrzebowałem, a ojciec to wiedział. – Spojrzał na Olivię ze świadomością, że podejrzewał to od lat, lecz nie chciał tego zaakceptować ze względu na Katie. – Źle postąpiłem, pozwalając, by te dzieci zniknęły z mojego życia. Mogłem polecieć do Montany i się z nimi spotkać. – Był to winien swojej siostrze. Byłoby to jednak bolesne, łatwiej więc było posłuchać Katie.

– Wciąż możesz to zrobić.

– Chciałbym. Jeśli zdołam je odnaleźć.

– Na pewno ci się uda, jeśli spróbujesz.

Skinął głową, wiedział już, co powinien zrobić. Zdumiało go jej następne pytanie.

– Co by się stało, gdybyś nigdy się z nią nie ożenił? – Była naprawdę ciekawa, jaka będzie jego odpowiedź. Uwielbiała go prowokować, zadawać mu trudne pytania.

– Nigdy nie zrobiłbym kariery – odparł.

Olivia pokręciła głową.

– Mylisz się. Na tym właśnie polega twój problem – dodała bez wahania. – Myślisz, że to jej wszystko zawdzięczasz. Swoją pracę, sukcesy, karierę, nawet dom w Greenwich. To szaleństwo. I tak zrobiłbyś błyskotliwą karierę. To nie jej zasługa, lecz twoja. Zrobiłbyś karierę wszędzie, może nawet w Wisconsin. Masz wyjątkowy umysł i umiejętność korzystania z nadarzających się okazji. Spójrz, ile osiągnąłeś w wypadku Vicotecu. Przecież sam mówiłeś, że to całkowicie twoje dzieło.

– Niczego jeszcze nie osiągnąłem – wtrącił skromnie.

– Osiągniesz. Nieważne, co powie Suchard. Rok, dwa lata, dziesięć, co za różnica. Dokonasz tego – oświadczyła z całkowitym przekonaniem. – A jeśli to się nie uda, uda się coś innego. I nie ma to niczego wspólnego z tym, z kim się ożeniłeś. – Nie myliła się, on po prostu jeszcze o tym nie wiedział. – Nie przeczę, że Donovanowie dali ci wyjątkową możliwość, lecz inni ludzie także by to zrobili. Spójrz, ile dałeś im w zamian. Peterze, myślisz, że to oni dali ci wszystko, i nadal czujesz wstyd z tego powodu. Do wszystkiego doszedłeś sam i nawet sobie tego nie uświadamiasz.

Nigdy nie patrzył na swoje życie z takiej perspektywy, jej słowa dodały mu pewności siebie. Była wyjątkową kobietą. Podarowała mu coś, czego nie dał mu nikt, nawet Katie. Rewanżował się jej ciepłem, opieką i czułością, za którymi tęskniła. Stanowili ciekawą kombinację, za którą była wdzięczna losowi.

Pod wieczór wrócili do hotelu, zamówili salade incoise, chleb i ser, które zjedli na tarasie. Gdy o szóstej zerknął na zegarek, uświadomił sobie, że musi wracać do Paryża. Po całym dniu pływania, opalania się i tłumienia namiętności, jaką do niej czuł, był jednak zbyt zmęczony, by się ruszać, a co dopiero przez dziesięć godzin prowadzić samochód.

– Nie powinieneś jechać – oświadczyła Olivia. Wyglądała bardzo ładnie, młodo, opaliła się lekko i była nieco zmartwiona. Żałował, że nie może zostać z nią na zawsze. – Nie spałeś od dwóch dni, nie dotrzesz do celu przed czwartą nad ranem, nawet jeśli wyruszysz w ciągu najbliższych dziesięciu minut.

– Muszę przyznać – przytaknął, czując przyjemne zmęczenie – że nie jest to szczególnie kusząca perspektywa. Powinienem jednak wracać. – Zadzwonił do Ritza, nikt nie zostawił dla niego wiadomości, lecz wiedział, że musi wracać do Paryża, bo Suchard w końcu się odezwie. Odczuł ulgę, gdy okazało się, że Katie i Frank nie próbowali się z nim kontaktować.

– Zostań na noc i jedź do Paryża rano – zaproponowała rozsądnie.

Spojrzał na nią z namysłem.

– Wrócisz ze mną, jeśli pojadę jutro?

– Być może – mruknęła, utkwiwszy wzrok w morzu za oknem.

– To właśnie najbardziej w tobie lubię: twoją pasję dla zobowiązań – mruknął kpiąco. Wykazywała jednak pasję w innych dziedzinach życia, a on zakosztował jej na tyle, by niemal doprowadziła go do szaleństwa. – Dobrze, już dobrze – skapitulował w końcu. Był zbyt zmęczony, by jechać nocą, wolał to zrobić rankiem, gdy złapie trochę snu.

Gdy jednak udali się do recepcji, by wynająć ostatni wolny pokój w hotelu, okazało się, że ktoś go już zajął. Pokoje były tylko cztery, a ona mieszkała w najlepszym. Był to mały pokoik z podwójnym łóżkiem i widokiem na morze, w które wpatrywali się przez długą chwilę.

– Możesz spać na podłodze – oświadczyła z psotnym uśmiechem; starała się uszanować ich zobowiązanie nierobienia niczego, czego mogliby potem żałować. Czasami tylko trudno jej było o tym pamiętać.

– Ze smutkiem muszę przyznać – uśmiechnął się – że to najlepsza propozycja, jaką od dawna słyszałem. Zgadzam się.

– Dobrze. Postaram się zachowywać przyzwoicie. Słowo harcerza. – Uniosła dwa palce, a Peter dla żartu zrobił zawiedzioną minę.

– To jeszcze bardziej przygnębiające.

Oboje wybuchnęli śmiechem, po czym udali się ramię w ramię na poszukiwania czystego podkoszulka, maszynki do golenia i niebieskich dżinsów dla niego. Wszystko to znaleźli w miejscowym sklepie. Podkoszulek reklamował napój Fanta, dżinsy pasowały idealnie; uparł się, że ogoli się w jej maleńkiej łazience przed kolacją, a gdy skończył, wyglądał lepiej niż kiedykolwiek. Olivia włożyła białą bawełnianą spódnicę, wiązany na szyi top i espadryle, które kupiła wcześniej. Z lśniącymi włosami i opalenizną wyglądała uroczo. Nie mógł uwierzyć, że to ta sama kobieta, o której czytał, która fascynowała go przez tak długi czas. Wydawała się kimś zupełnie innym. Była jego przyjaciółką, kobietą, w której się zakochiwał. Było coś słodkiego w tym, co do siebie czuli fizycznie i emocjonalnie, i w tym, że pomimo iż mieli okazję, oparli się pokusie. Było to cudownie romantyczne i staroświeckie.

Trzymali się za ręce i całowali, o północy poszli na długi spacer na plażę, a gdy usłyszeli dobiegającą z oddali muzykę, zaczęli tańczyć na piasku, tuląc się do siebie.

— Co zrobimy po powrocie? — zapytał w końcu, gdy usiedli, by posłuchać muzyki. — Co ja zrobię bez ciebie? — Bez końca zadawał sobie to pytanie.

— To, co robiłeś dotychczas — odparła cicho. Nie zamierzała rozbijać jego małżeństwa ani nawet zachęcać go do myślenia o zostawieniu żony. Nie miała do tego prawa, niezależnie od tego, co działo się pomiędzy nią a Andym. Poza tym, poza pociągiem, który do siebie czuli, ledwo go znała.

– Czyli? – zapytał. Nagle poczuł się nieszczęśliwy. – Nie mogę sobie przypomnieć. Wszystko wydaje mi się teraz takie nierzeczywiste. Nie wiem nawet, czy byłem szczęśliwy. – Najgorsze było to, że zaczynał podejrzewać, iż nigdy nie był. Była to dla niego zupełnie nowa myśl.

– Może to nie ma znaczenia. Może nie powinieneś zadawać sobie takich pytań. Mamy siebie teraz... wspomnienie dzisiejszego dnia będzie nam towarzyszyć. Będzie mnie podtrzymywać na duchu przez długi czas – dodała smutnym tonem, po czym na niego spojrzała.

Oboje znali już prawdę o jego życiu, wiedzieli, że pozbawił się wszystkiego, nawet sobie tego nie uświadamiając, lecz nie zamierzała mu o tym mówić. Wymyślał dla siebie usprawiedliwienia, pozwalał Kate i Frankowi wszystkim kierować, od spraw domowych po interesy. Oddawał władzę stopniowo. Jedynym, co go zdumiewało, gdy patrzył na to wszystko teraz, oczami Olivii, był fakt, iż wcześniej tego nie dostrzegał. Tak było po prostu łatwiej.

– Co ja pocznę bez ciebie? – zapytał z rozpaczą, biorąc ją w ramiona. Nie mógł sobie wyobrazić, że nie będzie z nią rozmawiać. Przeżył bez niej czterdzieści cztery lata, a teraz czuł, że nie zniesie choćby myśli o życiu bez niej.

– Nie myśl o tym – odparła i tym razem to ona pocałowała jego.

Musieli zdobyć się na nieludzki niemal wysiłek, by się od siebie oderwać i wrócić wolnym krokiem do hotelu, trzymając się za ręce. Gdy weszli do małego pokoju, Peter uśmiechnął się do niej i szepnął:

– Możliwe, że będziesz musiała czuwać i przez całą noc polewać mnie zimną wodą.

Uśmiechnął się z żalem. Oddałby wszystko za magiczną różdżkę, dzięki której mógłby odmienić ich sytuację, oboje jednak wiedzieli, że nie mają prawa do tego, czego pragną. Był to prawdziwy test dla ich moralności – nie poddać się namiętności i nie sięgnąć po to.

– Zrobię to, jeśli będzie trzeba – obiecała z uśmiechem.

Nadal nie zadzwoniła do Andy'ego i nie zamierzała robić tego teraz. Peter już o tym nie wspomniał. Uważał, że decyzja należy do niej, jej upór w tej sprawie go intrygował, zastanawiał się, czy Olivia karze męża, czy po prostu boi się zadzwonić.

Dotrzymała słowa, gdy weszli do pokoju. Podała mu poduszki i koc, pomogła mu posłać prowizoryczne łóżko na dywanie. Położył się w dżinsach i podkoszulku, z bosymi stopami, ona przebrała się w koszulę nocną w maleńkiej łazience. Leżeli w mroku, ona na łóżku, on na podłodze obok niej, trzymali się za ręce i rozmawiali godzinami, nie uczynił jednak nic, by ją pocałować, aż w końcu około czwartej zamilkła i pogrążyła się we śnie. Wtedy wstał cicho, otulił ją pledem, obserwował przez chwilę, jak śpi niczym mała dziewczynka, po czym pochylił się i pocałował ją delikatnie. Następnie położył się na podłodze na swoim prowizorycznym posłaniu i myślał o niej aż do rana.

Rozdział 6

Następnego ranka obudzili się o dziesiątej trzydzieści, słońce już wpadało do pokoju przez okna. Olivia przebudziła się pierwsza, patrzyła na Petera, gdy zaczął się poruszać, i uśmiechnęła się, gdy tylko otworzył oczy.

– Dzień dobry – szepnęła radośnie, a on jęknął, przewracając się na plecy. Dywan i koc były cienkie, podłoga twarda, a on zasnął dopiero o siódmej. – Zesztywniałeś?

Zobaczyła jego twarz, gdy się odwrócił, i zaproponowała, że wymasuje mu plecy. Oboje byli bardzo dumni z tego, że przetrwali całą noc, zachowując się przyzwoicie.

Zaakceptował jej propozycję z szerokim uśmiechem, po czym przewrócił się na brzuch z kolejnym jękiem, którym ją rozbawił. Leżąc na łóżku, wyciągnęła dłonie i zaczęła delikatnie masować jego kark. Zamknął oczy i przeciągnął się na swoim prowizorycznym posłaniu.

– Dobrze spałeś? – zapytała, ugniatając jego barki i próbując nie myśleć o tym, jaka gładka jest jego skóra. Jak skóra dziecka.

– Przez całą noc o tobie myślałem – przyznał szczerze. – To bez wątpienia dowód mojego dobrego wychowania, że mimo to zachowałem się przyzwoicie albo może po prostu znak mojej głupoty i objaw starości. – Przewrócił się na plecy, spojrzał na nią, wziął ją za ręce, po czym bez ostrzeżenia usiadł i ją pocałował.

– Śniłeś mi się tej nocy – przyznała, gdy usiadł na podłodze bliżej niej.

Patrzyli sobie w oczy, bawił się jej włosami i bezustannie ją całował. Wiedział, że wkrótce będzie musiał ją zostawić.

– Co wydarzyło się we śnie? – szepnął, całując jej szyję; powoli zapominał o swoich obietnicach.

– Pływałam w morzu i zaczęłam się topić... a ty mnie uratowałeś. Myślę, że to wiele mówi o tym, co się pomiędzy nami dzieje, odkąd się poznaliśmy. Tonęłam, zanim cię spotkałam.

Spojrzała na niego, a on otoczył ją ramionami i pocałował. Uklęknął, a jego dłonie zaczęły badać jej piersi ukryte pod nocną koszulą. Jęknęła cicho pod wpływem jego pieszczot, chciała przypomnieć mu o wzajemnych obietnicach, lecz w następnej chwili o nich zapomniała, wyciągnęła do niego ręce i pociągnęła go na łóżko.

Ich pocałunki stawały się coraz bardziej namiętne, ich ciała splotły się w uścisku, opadli na pościel, ona w koszuli nocnej, on w niebieskich dżinsach. Leżeli tak przez długą chwilę, całując się z zapamiętaniem i odkrywając o sobie rzeczy, których obiecali nie odkrywać. Peter pragnął ją pochłonąć, połknąć ją w całości, aż stanie się jego częścią, by mógł zatrzymać ją przy sobie na zawsze.

– Peter... – wyszeptała jego imię, a on przytulił ją mocniej i znów zaczął ją całować, gdy sięgnęła po niego wygłodniale.

– Olivio... nie... nie chcę, żebyś później żałowała...

Próbował być odpowiedzialny, bardziej dla jej dobra niż własnego czy Kate, lecz nie zdołał się już powstrzymać. Bez słowa zdjęła mu dżinsy, a on cisnął jej cienką koszulę nocną gdzieś na podłogę i zaczął się z nią kochać. Nastało południe, zanim znów mogli złapać oddech, tulili się do siebie, zmęczeni i zaspokojeni. Nigdy nie byli szczęśliwsi, Olivia uśmiechnęła się, splatając swe piękne nogi z jego nogami.

– Peter... kocham cię...

– To dobrze – odparł, tuląc ją do siebie tak mocno, aż zlali się niemal w jedno – ponieważ nigdy nikogo nie kochałem tak bardzo jak ciebie. Chyba jednak nie jestem dżentelmenem – dodał, czując nikłe wyrzuty sumienia. Cieszył się z tego, co zrobili.

Olivia uśmiechnęła się do niego sennie.

– Cieszę się, że nie jesteś. – Westchnęła i wtuliła się w niego.

Nie rozmawiali przez długi czas, leżeli obok siebie wdzięczni losowi za chwile, które mogli dzielić. W końcu, wiedząc, że wkrótce będą musieli się rozstać, kochali się znowu, ostatni raz. Gdy wstali, Olivia przywarła do niego i rozpłakała się. Nie chciała się z nim rozstawać, lecz oboje wiedzieli, co muszą zrobić. Postanowiła wrócić z nim do Paryża. O czwartej wyjechali z hotelu, wyglądali niczym dwoje dzieci wygnanych z ogrodów Edenu.

Zatrzymali się jeszcze, by coś zjeść, dzielili się kieliszkiem wina i kanapkami, siedząc na plaży i wpatrując się w morze.

– Będę sobie tu ciebie wyobrażał, jeśli kiedykolwiek tu wrócisz – powiedział smutno, patrząc na nią. Tak jak ona żałował, że nie mogą zostać tutaj na zawsze.

– Przyjedziesz mnie odwiedzić? – zapytała, uśmiechając się do niego tęsknie; włosy opadały jej na oczy, do jej policzka przykleiły się ziarnka piasku.

Przez długi czas nie odpowiadał. Nie był pewien, co ma jej powiedzieć. Wiedział, że nie może niczego obiecać. Wciąż dzielił życie z Kate, jeszcze godzinę temu Olivia zarzekała się, że to rozumie. Nie chciała niczego mu odbierać. Pragnęła tylko cieszyć się tym, co ich łączyło przez te dwa dni. Zyskali dzięki temu więcej niż niektórzy ludzie przez całe życie.

– Postaram się – odparł w końcu, nie chcąc łamać obietnic, których jeszcze nie złożył.

Oboje wiedzieli, że będzie trudno, postanowili nie kontynuować romansu. Te dni miały pozostać dla nich tylko wspomnieniem. Ich życie było zbyt skomplikowane, oboje byli zbyt głęboko zaangażowani w związki z innymi ludźmi. Wiedzieli, że gdy Olivia wróci do swojego świata, paparazzi, którzy bezustannie ją śledzili, uniemożliwią im kolejne spotkania. Połączył ich cud, który nigdy się nie powtórzy.

– Chciałabym tu wrócić i wynająć dom – oświadczyła uroczyście. – Czuję, że tu mogłabym pisać.

– Powinnaś spróbować – odparł i pocałował ją.

Wyrzucili resztki lunchu i stali przez chwilę na piasku, trzymając się za ręce i wpatrując w morze.

– Chciałbym wierzyć, że pewnego dnia tu wrócimy. Razem – szepnął, obiecując jej coś, czego dotąd nie ośmielił się wyartykułować. Była to jednak jedynie mglista, odległa obietnica na przyszłość. A może po prostu na inny dzień. Kolejne wspomnienie, które mogliby zachować.

Olivia niczego od niego nie oczekiwała.

– Może wrócimy. Jeśli tak jest nam pisane.

Oboje musieli jednak najpierw pokonać pewne przeszkody, przezwyciężyć przeciwności losu, zmierzyć się z przeznaczeniem. Peter musiał dopilnować procesu zatwierdzenia Vicotecu, skontaktować się z teściem, Kate czekała na niego w Connecticut. Olivia musiała wrócić i porozmawiać z Andym.

W milczeniu szli do samochodu, po drodze kupili jeszcze jedzenie na drogę. Położyła je na tylnym siedzeniu z nadzieją, że Peter nie dostrzeże łez w jej oczach, lecz on wyczuł je nawet bez patrzenia. Czuł je sercem. Płakał z tych samych powodów co ona. Pragnął więcej niż to, do czego mieli prawo.

Przytulił ją, gdy po raz ostatni spojrzeli na morze, i powiedział, że bardzo ją kocha. Odpowiedziała tym samym, znów się pocałowali, po czym wsiedli do wynajętego samochodu, by rozpocząć długą podróż do Paryża.

Niewiele ze sobą rozmawiali na początku jazdy, lecz w końcu zrelaksowali się na tyle, by podjąć konwersację. Oboje musieli poradzić sobie na swój sposób z tym, co się wydarzyło, musieli to przetrawić, uczynić swoim i zaakceptować nieuniknione ograniczenia.

– Będzie mi bardzo trudno – powiedziała Olivia, uśmiechając się przez łzy, gdy mijali La Vierrerie – ze świadomością, że gdzieś tam jesteś, a ja nie mogę z tobą być.

– Wiem – odparł, czując ucisk w gardle. – Myślałem o tym samym, gdy wychodziliśmy z hotelu. To mnie doprowadzi do szaleństwa. Z kim będę rozmawiał? – Po tym jak się kochali, czuł, jakby należała do niego.

– Mógłbyś do mnie zadzwonić raz na jakiś czas. Dałabym ci znać, gdzie jestem.

Oboje jednak wiedzieli, że niezależnie od wszystkiego on nadal był żonaty.

– To nie byłoby wobec ciebie uczciwe. – Nic nie było. Podjęli takie ryzyko, oboje o tym wiedzieli. Seks w zasadzie niczego nie zmienił. Może tylko pod pewnymi względami jeszcze wszystko utrudnił. Przynajmniej jednak dzięki niemu mieli wszystko i mogli zabrać ze sobą piękne wspomnienia.

– Może spotkamy się gdzieś za sześć miesięcy, by się dowiedzieć, co się u nas dzieje. – Zrobiła zawstydzoną minę, gdy przypomniała sobie jeden ze swoich ulubionych filmów z Carym Grantem i Deborah Kerr. Był to prawdziwy klasyk, płakała na nim tysiące razy, gdy była młodsza. – Moglibyśmy się umówić na szczycie Empire State Building – dodała półżartem.

Peter szybko pokręcił głową.

– Nie najlepszy pomysł. Nie pojawiłabyś się. Ja bym się z tego powodu wściekł, a ty skończyłabyś na wózku inwalidzkim. Może jakiś inny film? – Uśmiechnął się, a ona się roześmiała.

– Co my zrobimy? – zapytała, wyglądając ponuro przez okno.

– Wrócimy. Będziemy silni. Wrócimy do tego, kim byliśmy, i postaramy się żyć dalej. Myślę, że mnie będzie łatwiej niż tobie. Byłem taki głupi i ślepy, nie uświadamiałem sobie nawet, jaki jestem nieszczęśliwy. Ty masz jeszcze wiele do przemyślenia. Ja będę musiał udawać, że nic się nie wydarzyło, że nie dostrzegłem prawdy podczas pobytu w Paryżu. Jak miałbym to wyjaśnić?

– Może nie będziesz musiał. – Zaczęła się zastanawiać, jak bardzo problemy z Vicotekiem wpłyną na jego sytuację, jeśli testy wypadną niepomyślnie.

Peter również coraz bardziej się tym niepokoił.

– Może do mnie napiszesz, Olivio? – zaproponował w końcu. – Daj mi chociaż znać, gdzie jesteś. Oszaleję, jeśli nie będę wiedział. Możesz mi to obiecać?

– Oczywiście. – Skinęła głową.

Rozmawiali i jechali przez całą noc, była prawie czwarta nad ranem, gdy w końcu dotarli do Paryża. Zatrzymał się parę przecznic od hotelu i choć oboje byli zmęczeni, zgasił silnik.

– Dasz się zaprosić na kawę? – zapytał jak wtedy na placu Zgody, a ona uśmiechnęła się smutno.

– Tobie dam się zaprosić wszędzie, Peterze Haskellu.

– Tak bardzo chciałbym zaprosić cię nie tylko na kawę – odparł, dając jej do zrozumienia, co do niej czuje od pierwszej chwili, kiedy ją zobaczył. – Kocham cię. Będę cię kochał do końca życia. Nigdy nie będzie w nim nikogo takiego jak ty. Nie ma i nigdy nie było. Pamiętaj o tym, gdziekolwiek będziesz. Kocham cię. – Po tych słowach pocałował ją namiętnie i mocno, przywarli do siebie niczym dwoje rozbitków.

– Ja też cię kocham, Peterze. Tak bardzo bym chciała, byś mógł mnie zabrać ze sobą.

– Ja również bym chciał. – Wiedział, że nie zapomną tego, co ich połączyło w ostatnich dwóch dniach, i tego, co wydarzyło się pomiędzy nimi tego ranka.

Odwiózł ją do hotelu, zatrzymał się na placu Vendôme. Nie miała żadnego bagażu, tylko bawełnianą spódnicę, którą włożyła. Dżinsy i podkoszulek zwinęła ciasno i niosła je w dłoni. Nie zostawiła mu niczego poza swoim sercem. Spojrzała na niego po raz ostatni, a gdy ją pocałował, przebiegła przez plac; łzy płynęły po jej policzkach, gdy go opuszczała.

Peter przez długi czas siedział w samochodzie, myśląc o niej i wpatrując się w wejście do hotelu. Wiedział, że Olivia jest już w swoim pokoju, tym razem obiecała mu, że wróci i nie zniknie znowu. Gdyby to zrobiła, zapragnął, by wróciła do niego lub przynajmniej dała mu znać, gdzie jest. Nie chciał, by samotnie włóczyła się po Francji. W przeciwieństwie do jej męża troszczył się o jej bezpieczeństwo. Martwił się wszystkim, tym, co zrobili, tym, co z nią będzie, gdy już wróci, czy znów zostanie wykorzystana, a może jednak zostawi męża. Martwił się, że będzie musiał stanąć twarzą w twarz z Kate, gdy wróci do Connecticut, i tym, że żona wyczuje, iż coś się pomiędzy nimi zmieniło. Zmieniło się przecież, prawda? Olivia uświadomiła mu, że samodzielnie odniósł sukces, nadal jednak czuł, że wiele zawdzięcza Kate pomimo tego, co mówiła Olivia. Nie mógł jej teraz zawieść. Musiał żyć dalej, jakby nic się nie wydarzyło. To, co połączyło go z Olivią, nie miało przeszłości, teraźniejszości ani przyszłości. Była to tylko chwila, marzenie, moment, diament, który znaleźli w piasku i na chwilę zachowali dla siebie. Oboje mieli jednak zobowiązania, które okazały się ważniejsze. To Kate była jego przeszłością, jego teraźniejszością i przyszłością. Miał tylko jeden problem – ten ból w piersi. Gdy wracał do Ritza, był pewien, że serce mu pęknie, gdy myślał o Olivii. Zastanawiał się, czy jeszcze kiedyś ją zobaczy i gdzie jest w tej właśnie chwili. Nie mógł sobie wyobrazić życia bez niej.

Gdy otworzył drzwi do swojego pokoju, zobaczył na podłodze małą kopertę. Dzwonił doktor Paul-Louis Suchard, prosił, by pan Haskell oddzwonił do niego najszybciej, jak to możliwe.

Wrócił do prawdziwego życia, do spraw, które były ważne, do żony, synów, interesów. A gdzieś w oddali, we mgle rozwiewała się postać kobiety, którą odnalazł, lecz której nie mógł mieć, kobiety, w której był rozpaczliwie zakochany.

Stał na balkonie, gdy wzeszło słońce, i myślał o niej. To wszystko wydawało mu się snem, może nim było. Może to w ogóle nie było prawdziwe. Plac Zgody... kawiarnia na Montmartrze... plaża w La Favière... to wszystko. Wiedział, że niezależnie od tego, co do niej czuł, jak dobrze było im razem, musi o tym zapomnieć.

Rozdział 7

*P*eter był całkowicie odrętwiały psychicznie, gdy o ósmej rozległ się dźwięk telefonu – na tę godzinę zamówił budzenie. Gdy tylko odłożył słuchawkę, zaczął się zastanawiać, dlaczego czuje się tak okropnie. Dusza ciążyła mu, jakby była z ołowiu... nagle sobie przypomniał. Ona odeszła. To koniec. Musi zadzwonić do Sucharda i wracać do Nowego Jorku, by stawić czoło Frankowi i Katie. Olivia wróciła do męża.

Czuł się straszliwie nieszczęśliwy, gdy stał pod prysznicem. Myślał o niej, mimo iż wciąż zmuszał się do pamiętania o interesach, którymi tego ranka musiał się zająć.

Zadzwonił do Sucharda równo o dziewiątej, lecz Paul-Louis odmówił podania wyników badań przez telefon. Uparł się, by Peter przyjechał do laboratorium. Powiedział tylko, że testy zostały ukończone. Zamierzał zająć Peterowi tylko godzinę, zapewnił go, że na pewno zdąży na samolot o drugiej. Peter był poirytowany, że lekarz nawet nie zreferował wyników przez telefon, lecz zgodził się przyjechać do laboratorium o dziesiątej trzydzieści.

Zamówił do pokoju kawę i rogaliki, lecz nie był w stanie jeść, wyszedł z hotelu o dziesiątej i przyjechał na spotkanie dziesięć minut przed czasem. Suchard już na niego czekał z ponurą miną. Ostatecznie jednak wyniki okazały się nie takie złe, jak Peter się obawiał, a Paul-Louis przewidywał. Jeden z podstawowych składników Vicotecu był bez wątpienia niebezpieczny, istniała jednak szansa, że zdołają znaleźć substytut, co nie przekreślało produktu jako całości. Trzeba go było „dopracować", jak to ujął Suchard, co mogło się okazać długotrwałym procesem. Naciskany, przyznał, że zmiany można by wprowadzić w ciągu sześciu miesięcy do roku, może w krótszym okresie, gdyby wydarzył się cud, co jednak było mało prawdopodobne. Bardziej prawdopodobna opcja zakładała dwa lata badań, czego Peter się spodziewał po ich pierwszej rozmowie. Może jeśli zaangażowaliby dodatkowe zespoły, prace nad Vicotekiem udałoby się sfinalizować w czasie krótszym niż rok, co nie było końcem świata, choć bez wątpienia rozczarowywało. Produkt w obecnej formie był potencjalnym zabójcą. Nie musiał nim jednak być, Suchard miał już kilka sugestii odnośnie do tego, jak wprowadzić niezbędne zmiany. Peter wiedział jednak, że

Frank nie uzna tego za dobre wieści. Jego teść nienawidził opóźnień, a dalsze badania mogły okazać się kosztowne. Nie było żadnych szans na to, by w najbliższym czasie uzyskać od FDA zgodę na wcześniejsze próby na ludziach, wystąpienie przed komisją we wrześniu w sprawie szybkiej ścieżki również traciło sens. Frank pragnął jak najszybciej wypuścić lek na rynek, mając na uwadze zyski, Peter miał jednak inne oczekiwania. Niezależnie od swoich powodów i celów obaj nie mieli żadnego pola manewru.

Peter podziękował Paulowi-Louisowi za jego wkład i dokładne badania. Wracał do hotelu pogrążony w myślach, nie wiedząc, jak to wszystko przekazać Frankowi. Nadal brzmiały mu w uszach słowa Paula-Louisa: „W obecnej formie Vicotec jest zabójcą". Nie to planowali osiągnąć, nie tego pragnąłby dla swojej matki i siostry. Wiedział, że Frank nie podejdzie do sprawy rozsądnie, Katie również. Nie znosiła, gdy coś zakłócało spokój jej ojcu. Tym razem jednak nawet ona będzie się musiała wykazać zrozumieniem. Nie życzyli sobie przecież tragedii, nie stać ich było na nią.

W hotelu Peter spakował walizkę i w oczekiwaniu na samochód włączył telewizor. Zobaczył ją. Spodziewał się tego. Wiadomością dnia był powrót Olivii Douglas Thatcher. Wersja, którą podali dziennikarze, była zbyt osobliwa, by mogła być prawdziwa, i oczywiście taka nie była. Olivia udała się rzekomo na spotkanie z przyjaciółką i uległa niegroźnemu wypadkowi samochodowemu, w wyniku którego doznała lekkiej, trzydniowej amnezji. Nikt w szpitalu jej nie rozpoznał, nikt chyba nie oglądał tam wiadomości, na szczęście poprzedniej nocy cudem ozdrowiała i szczęśliwie wróciła do męża.

– I tyle, jeśli chodzi o uczciwe dziennikarstwo – mruknął Peter, kręcąc głową ze zdegustowaną miną.

Znów pokazali te same stare, nudne zdjęcia, a potem przeprowadzili wywiad z neurologiem, który spekulował na temat trwałych uszkodzeń mózgu będących wynikiem niegroźnego wstrząśnienia. Reportaż zakończył się życzeniami powrotu do zdrowia dla pani Thatcher.

– Amen – szepnął i wyłączył telewizor. Rozejrzał się po pokoju ostatni raz i podniósł aktówkę. Jego walizkę już wyniesiono, pozostało mu tylko opuścić pokój.

Ogarnęła go osobliwa tęsknota, gdy wychodził. Tyle się wydarzyło podczas tej podróży, nagle zapragnął pobiec na górę, by ją zobaczyć. Zapukałby do drzwi jej apartamentu, powiedziałby, że jest starym przyjacielem... a Andy Thatcher uznałby go zapewne za wariata. Zaczął się zastanawiać, czy senator coś podejrzewa. Może w ogóle go to nie obchodziło? Mógł tylko zgadywać. Wersja przekazana prasie była bardzo naciągana. Peter uznał ją za śmieszną. Ciekawe, kto to wymyślił.

Gdy zszedł na dół, zobaczył w holu znajome twarze – Arabów, Japończyków. Król Khaled wyjechał do Londynu po alarmie bombowym. Przy recepcji tłoczyli się nowi goście, gdy Peter ich mijał, dostrzegł grupę mężczyzn w garniturach, z krótkofalówkami i słuchawkami w uszach, a gdy przeszedł przez obrotowe drzwi, mignęła mu w oddali ona. Wsiadała do limuzyny, Andy był już otoczony swoimi ludźmi. Stał do niej plecami, rozmawiał z nimi, a ona jakby wyczuła obecność Petera i zerknęła przez ramię. Zamarła w pół kroku oszołomiona i spojrzała na niego. Ich oczy się spotkały, stali tak przez długą chwilę, aż Peter poczuł obawę, że ktoś to zauważy. Skinął lekko głową, a wtedy ona oderwała od niego wzrok i wsiadła do limuzyny, drzwi się zamknęły, a Peter został sam na chodniku, nie dostrzegając niczego za przyciemnionymi szybami.

– Pański samochód czeka, monsieur – upomniał go uprzejmie portier, obawiając się korka tuż przed wejściem do Ritza.

Dwie modelki chciały jechać na sesję, a limuzyna Petera je blokowała. Zaczynały wpadać w histerię, wymachiwały rękami i krzyczały na niego.

– Przepraszam. – Wręczył portierowi napiwek, wsiadł do samochodu i nie patrząc już na limuzynę, utkwił wzrok w przedniej szybie i kazał wieźć się na lotnisko.

Olivia jechała tymczasem z Andym na spotkanie z dwoma kongresmanami i ambasadorem w ambasadzie. Andy planował to spotkanie cały tydzień, nalegał, by mu towarzyszyła. Z początku był na nią wściekły z powodu zamieszania, jakie wywołała, lecz już godzinę po jej powrocie doszedł do wniosku, że jej zniknięcie się mu przysłużyło. Wraz ze swoimi ludźmi stworzył kilka scenariuszy, z których każdy miał na celu wzbudzenie sympatii, zwłaszcza w świetle ich najnowszych planów. Chcieli zrobić z niej następną Jackie Kennedy. Miała odpowiedni wygląd, taką samą kruchość charakteru, a także naturalny styl, wyczucie elegancji i odwagę wobec przeciwności losu. Jego doradcy uznali, że będzie w tej roli doskonała. Zamierzali zwracać na nią większą uwagę niż w przeszłości i nieco ją przygotować do narzuconej jej roli; nikt nie miał wątpliwości, że się na to zgodzi.

Warunkiem była jednak konieczność powstrzymania jej kolejnych zniknięć. Robiła już takie rzeczy po śmierci Alexa, przepadała gdzieś na parę godzin, znikała na noc, zazwyczaj jednak jeździła do brata lub do rodziców. Tym razem nie było jej dłużej niż zwykle, lecz nikt nie myślał, że znalazła się w niebezpieczeństwie. Andy wiedział, że w końcu się pojawi, miał tylko nadzieję, że nie zrobi w międzyczasie niczego głupiego. Zanim wyjechali do ambasady, powiedział jej, co o tym myśli i czego się od niej teraz oczekuje. Najpierw odparła, że z nim nie pojedzie. Gorąco oprotestowała też historię, którą podali do prasy.

— Zrobiłeś ze mnie kompletną idiotkę — oświadczyła z przerażeniem. — I to z uszkodzonym mózgiem — dodała zgorzkniale.

— Nie dałaś nam wyboru. Co mieliśmy powiedzieć? Że przez trzy dni leżałaś zalana w trupa w jakimś hotelu w Rive

Gauche? A może mieliśmy powiedzieć prawdę? A tak na marginesie, jaka jest prawda i czy powinienem ją poznać?

– Nie jest nawet w połowie tak interesująca jak to, co zmyśliłeś. Potrzebowałam trochę czasu dla siebie, to wszystko.

– Tak właśnie myślałem – mruknął raczej znudzony niż poirytowany. Sam wielokrotnie znikał, lecz był przy tym bardziej subtelny niż żona. – Następnym razem mogłabyś mi zostawić wiadomość albo coś powiedzieć.

– Zamierzałam – odparła ze skruchą – lecz nie byłam pewna, czy w ogóle to zauważysz.

– Musisz być przekonana, że nie mam pojęcia, co się dzieje.

– A masz? Jeśli chodzi o mnie na przykład? – Zebrała się w końcu na odwagę i powiedziała to, co od dawna chciała powiedzieć. – Muszę z tobą porozmawiać dziś po południu. Może gdy wrócimy z ambasady.

– Jestem umówiony na lunch – odparł, natychmiast tracąc zainteresowanie. Wróciła. Nie przyniosła mu wstydu. Prasa była usatysfakcjonowana. Potrzebna mu była w ambasadzie, lecz potem miał inne sprawy.

– Dziś po południu – powtórzyła chłodno. Widziała w jego oczach, że nie ma dla niej czasu. Znała to spojrzenie, to nie nim ją sobie zjednał.

– Czy coś się stało? – zapytał zdumiony. Rzadko domagała się, by poświęcił jej czas, nie podejrzewał jeszcze, co się święci.

– Ależ skąd. Często znikam na trzy dni pod rząd. Co się mogło stać?

Nie spodobał mu się wyraz jej oczu, gdy to mówiła.

– Miałaś cholerne szczęście, że zdołałem po tobie posprzątać, Olivio. Na twoim miejscu nie byłbym taki pewny siebie. Nie oczekujesz chyba, że będziesz sobie tak znikać, a potem wszyscy będą cię witać z otwartymi ramionami. Gdyby prasa chciała, mogłaby cię za to naprawdę obedrzeć ze skóry. Może więc po prostu się odczep. – Wiedział, że takie numery mogą bardzo narazić jego szanse.

– Przepraszam – odparła ponuro. – Nie chciałam ci sprawić tylu kłopotów.

Ani słowem nie dał jej do zrozumienia, że się o nią martwił, że bał się o jej bezpieczeństwo. W zasadzie nawet o tym nie pomyślał. Dobrze ją znał, był więc przekonany, że gdzieś się ukryła.

– Możemy porozmawiać, gdy wrócisz ze spotkań, które masz umówione na popołudnie. Zaczekam. – Próbowała mówić spokojnie, choć ona również była na niego zła. Bezustannie sprawiał jej zawód. Od wielu lat jej nie wspierał. Było jej jeszcze trudniej teraz, gdy porównywała go z Peterem.

Mogła myśleć tylko o Peterze, jego widok na ulicy niemal złamał jej serce. Za bardzo się bała, by dać mu jakikolwiek znak. Wiedziała, że prasa będzie ją teraz uważnie obserwować. Była przekonana, że dziennikarze nie uwierzyli w zmyśloną historię i byliby zachwyceni, mogąc ją podważyć.

W ambasadzie przez cały czas była pogrążona we własnych myślach. Andy nie zaprosił jej na lunch. Miał umówione spotkanie z francuskim politykiem. Wrócił do hotelu o czwartej, całkowicie nieprzygotowany na to, co żona ma mu do powiedzenia. Czekała na niego w salonie, siedziała w fotelu i wpatrywała się w okno. Peter był już w samolocie do Nowego Jorku, tylko o tym mogła myśleć. Wracał do „nich", do innych ludzi w jego życiu, do tych, którym na nim nie zależało. Ona również wróciła do swoich oprawców, lecz nie na długo.

– O co chodzi? – zapytał Andy, wchodząc do pokoju.

Towarzyszyło mu dwoje asystentów, lecz gdy zobaczył poważną minę żony, od razu ich odprawił. Widział ten wyraz jej twarzy tylko raz lub dwa: gdy umarł jego brat, a potem Alex. Poza tym Olivia zawsze była pełna rezerwy, izolowała się od świata, w którym żył.

– Muszę ci coś powiedzieć – oświadczyła cicho. Nie wiedziała, jak zacząć. Wiedziała tylko, że musi mu powiedzieć.

– To już wiem – mruknął.

Był najprzystojniejszym mężczyzną, jakiego znała. Miał duże niebieskie oczy i jasne włosy, które nadawały mu chłopięcy wygląd. Miał szerokie ramiona i wąskie biodra, gdy usiadł w fotelu z brokatu, skrzyżował długie nogi. Już nie robił na niej wrażenia, jego czar prysł. Wiedziała, jaki jest samolubny, ograniczony i jak mało mu na niej zależy.

– Odchodzę – powiedziała zwyczajnie. I tyle. Stało się. To koniec.

– Dokąd? – zapytał z konsternacją.

Nie zrozumiał nawet, co mu powiedziała, musiała się uśmiechnąć. To przekraczało jego granice pojmowania i wyobraźnię.

– Odchodzę od ciebie – wyjaśniła – gdy tylko wrócimy do Waszyngtonu. Nie mogę dłużej tak żyć. To dlatego zniknęłam na parę dni. Musiałam to przemyśleć. Teraz jestem pewna. – Chciała, by było jej z tego powodu przykro, lecz oboje wiedzieli, że nie jest.

Jemu też nie było przykro, był raczej przerażony.

– Masz nie najlepsze wyczucie czasu – stwierdził w zamyśleniu; nawet jej nie zapytał, dokąd się uda.

– Na to nie ma odpowiedniej chwili. To jak choroba, nigdy nie jest wygodna.

Miała na myśli Alexa, Andy skinął głową. Wiedział, jaki to był dla niej cios. Choć minęły dwa lata, ona nadal nie doszła do siebie. Tak jak ich małżeństwo.

– Jest jakiś konkretny powód twojej decyzji? Coś ci przeszkadza? – Nie pytał nawet, czy ma kogoś. Znał ją na tyle dobrze, by wyczuć, że nie o to chodzi. Był całkowicie przekonany, że wie o niej wszystko.

– Wiele rzeczy mi przeszkadza, Andy. Przecież wiesz. – Wymienili znaczące spojrzenia, nie mogli zaprzeczyć, że stali się sobie obcy. Już nawet nie wiedziała, kim on jest. – Nigdy nie chciałam być żoną polityka. Powiedziałam ci to, zanim wzięliśmy ślub.

– Nic nie mogę na to poradzić, Olivio. Świat się zmienia. Nie spodziewałem się, że Tom zostanie zamordowany. Wielu rzeczy się nie spodziewałem. Ty również. To się po prostu dzieje. A ty robisz, co możesz, by stawić temu czoło.

– Stawiałam. Stawiałam dla ciebie. Wzięłam udział w kampanii. Robiłam wszystko, czego oczekiwałeś, lecz już nie jesteśmy sobie bliscy, Andy, i ty to wiesz. Od lat cię przy mnie nie ma. Już nawet nie wiem, kim jesteś.

– Przykro mi – powiedział szczerze, lecz nie zaproponował, że się zmieni. – Nie możesz mi teraz tego zrobić. – Spojrzał na nią z determinacją, która by ją przeraziła, gdyby wiedziała, o czym pomyślał. Rozpaczliwie jej potrzebował, nie zamierzał pozwolić jej teraz odejść. – Od jakiegoś czasu chciałem ci coś powiedzieć. Ostateczną decyzję podjąłem dopiero w zeszłym tygodniu.

Niezależnie od tego, jaka to była decyzja, Olivia zrozumiała, że jest jej częścią.

– Chciałem, byś dowiedziała się jako jedna z pierwszych, Olivio.

„Jedna z pierwszych", lecz nie pierwsza – właściwe podsumowanie ich małżeństwa.

– Zamierzam wziąć udział w wyborach prezydenckich w przyszłym roku. To wiele dla mnie znaczy. Będę potrzebować twojej pomocy, aby wygrać.

Wpatrywała się w niego takim wzrokiem, jakby ją uderzył. Spodziewała się tego. Wiedziała, że istnieje taka możliwość, lecz aż do tej chwili nie wydawało jej się to realne. Nie miała pojęcia, co powinna zrobić.

– Dużo o tym myślałem, wiem, jaki masz stosunek do kampanii wyborczych. Uznałem jednak, że rola pierwszej damy może mieć dla ciebie jakiś urok. – Uśmiechnął się blado, jakby dodawał jej otuchy, lecz nie odpowiedziała uśmiechem.

Na jej twarzy malowało się przerażenie. Rola pierwszej damy była ostatnią rzeczą, jakiej pragnęła.

– Nie ma to dla mnie żadnego uroku – odparła drżącym głosem.

– A dla mnie ma – zaoponował obcesowo. Pragnął tego najbardziej na świecie, bardziej niż jej i jakiegokolwiek małżeństwa. – Nie uda mi się to bez ciebie. Nie istnieje takie zjawisko jak prezydent w separacji, a co dopiero prezydent rozwodnik. To dla ciebie nie nowina. – Polityka nie miała dla niej tajemnic po latach wychowywania się u boku ojca. Gdy na nią patrzył, przyszło mu coś do głowy. Uznał, że musi ratować, co się da, nie zamierzał przekonywać jej, że wciąż ją kocha. Była na to za mądra, a on zbyt wiele razy przekroczył granicę. Wszystko już zaszło za daleko, oboje o tym wiedzieli.

– Pozwól, że coś zasugeruję – kontynuował z namysłem. – Nie jest to może bardzo romantyczne rozwiązanie, lecz myślę, że zaspokoiłoby potrzeby nas obojga. Potrzebuję cię. Mówiąc szczerze, jeszcze co najmniej przez pięć lat. Rok na kampanię i cztery na pierwszą kadencję. Potem możemy renegocjować układ albo kraj będzie musiał przystosować się do naszej sytuacji. Może najwyższy czas, by ludzie zrozumieli, że nawet prezydent jest tylko człowiekiem. Spójrz na księcia Karola i księżnę Dianę. Anglia przetrwała rozwód, my też przetrwamy. – W myślach już był prezydentem, a ludzie musieli się do niego dostosowywać tak jak ona.

– Nie jestem pewna, czy gramy w tej samej lidze – mruknęła drwiąco, lecz nawet nie zwrócił na to uwagi.

– W każdym razie – mówił dalej, ignorując ją i koncentrując się na wydźwięku swojej propozycji – mówimy o pięciu latach. Jesteś jeszcze bardzo młoda, Olivio. Możesz tyle poświęcić, zwłaszcza że doda ci to prestiżu, którego dotąd nie miałaś. Ludzie nie będą ci współczuć i tylko się tobą interesować, oni cię pokochają. Możemy do tego doprowadzić z moimi ludźmi.

Czuła mdłości, słuchając go, lecz mu nie przerywała.

– Pod koniec każdego roku przeleję na twoje konto pięćset tysięcy dolarów po opodatkowaniu. Na koniec okresu, o którym mówimy, będziesz bogatsza o dwa i pół miliona. – Uniósł dłoń, spodziewając się komentarzy. – Wiem, że nie można cię kupić, lecz jeśli będziesz chciała się później usamodzielnić, zyskasz pokaźny fundusz początkowy. A jeśli urodzi się nam następne dziecko – uśmiechnął się, by osłodzić umowę – dołożę jeszcze milion. Rozmawialiśmy o tym niedawno i myślę, że to może być istotna kwestia. Nie chcemy, by ludzie myśleli, że jesteśmy dziwni, podejrzewali nas oboje o homoseksualizm lub spekulowali, że wciąż nie otrząsnęłaś się po tamtej tragedii. Dostatecznie dużo o tym gadają. Myślę, że nadszedł czas, byśmy poszli dalej i postarali się o następne dziecko.

Olivia nie mogła uwierzyć w to, co słyszy. „Rozmawialiśmy o dziecku" oznaczało jego i jego speców od kampanii. Był to szczyt wszystkiego.

– Może po prostu wynajmiemy sobie dziecko? – zaproponowała chłodnym tonem. – Nikt nie musi wiedzieć. Przygarniemy je na okres kampanii, a potem oddamy. Tak będzie łatwiej. Dzieci bałaganią i jest z nimi tyle kłopotów.

Nie spodobał mu się wyraz jej oczu, gdy to mówiła.

– Takie komentarze nie są konieczne – oświadczył cicho.

Był tym, kim był, bogatym chłopcem, który chodził do najlepszych szkół, ukończył Harvard. Stały za nim rodzinne pieniądze, zawsze wierzył, że wszystko można kupić albo osiągnąć ciężką pracą. Był na to gotów, lecz nie dla niej. A ona nie zamierzała mieć z nim kolejnego dziecka. Nigdy nie było go przy pierwszym, nawet gdy zachorowało na raka. To dlatego między innymi śmierć Alexa była dla niej taka trudna, a dla Andy'ego łatwiejsza. Nie był tak blisko związany z synem jak ona.

– Twoja propozycja jest odrażająca. To najokropniejsza rzecz, jaką w życiu słyszałam – odparła z oburzeniem. – Chcesz kupić pięć lat mojego życia za rozsądną cenę i chcesz, bym miała dziecko, bo to pomoże ci wygrać wybory. Zwymiotuję, jeśli będę tu dalej siedzieć i cię słuchać. – Wyraz jej twarzy dobitnie potwierdzał, co myśli o jego propozycji.

– Przecież zawsze lubiłaś dzieci. Nie rozumiem, na czym polega problem.

– Już cię nawet nie lubię, Andy, i to bez wątpienia jest część problemu. Jak możesz być tak prostacki i nieczuły? Co się z tobą stało? – Poczuła pieczenie pod powiekami, lecz nie pozwoliła sobie na łzy. Nie był ich wart. – Kocham dzieci. Oczywiście, że kocham. Nie zamierzam jednak urodzić dziecka dla kampanii, mężczyźnie, który mnie nie kocha. Jak mielibyśmy to zrobić, twoim zdaniem? Przez sztuczne zapłodnienie? – Od miesięcy ze sobą nie sypiali. On nie miał czasu, regularnie korzystał z innych źródeł tej przyjemności, a jej to w ogóle nie obchodziło.

– Chyba przesadzasz – mruknął, ogarnęło go jednak zawstydzenie. Poniekąd miała rację, wiedział o tym. Nie mógł się już jednak wycofać. Skaptowanie jej dla kampanii było zbyt istotne. Uprzedził już szefa kampanii, że Olivia nie zgodzi się na dziecko. Była szalenie przywiązana do ich syna, zdruzgotana po jego śmierci, podejrzewał więc, że nie zechce mieć drugiego. Za bardzo się bała, że i je mogłaby utracić. – Rozumiem, chciałbym jednak, byś to przemyślała. Niech będzie milion za rok. To pięć milionów za pięć lat i dodatkowe dwa, jeśli urodzisz dziecko. – Mówił poważnie, a ona miała tylko ochotę wybuchnąć śmiechem.

– Może powinnam zażądać dwóch milionów za rok i trzech za dzieciaka? To dałoby... – udała, że się zastanawia – policzmy... sześć, jeśli urodzę bliźnięta... dziewięć za trojaczki. Mogłabym sobie wstrzyknąć Pergonal... może urodziłyby się czworaczki... – Odwróciła się i spojrzała na niego z urazą. Kim był ten człowiek, w którego kiedyś wierzyła? Jak mogła aż tak się co do niego pomylić? Gdy go słuchała, zastanawiała się, czy kiedykolwiek był człowiekiem, choć w głębi serca wiedziała, że był, dawno, dawno temu. To z powodu tamtej osoby, nie tego, kim się stał, siedziała tu teraz i słuchała. – Jeśli to dla ciebie zrobię, w co wątpię, będzie to wynikiem pokręconego poczucia lojalności względem ciebie, a nie chciwości ani dlatego że chciałabym się na tobie wzbogacić. Wiem, jak gorąco tego pragniesz. – Byłby to jej ostatni dar dla niego, mogłaby potem odejść bez wyrzutów sumienia.

– To wszystko, czego pragnę – oświadczył żarliwie, blednąc.

Wiedziała, że mówi szczerze.

– Zastanowię się – obiecała cicho. Już nie wiedziała, co ma robić. Tego ranka była przekonana, że przed końcem tygodnia wróci do La Favière, a teraz miała zostać pierwszą damą. Co za koszmar. Czuła jednak, że jest mu coś winna. Nadal był jej mężem, był ojcem jej dziecka, mogła pomóc mu zdobyć to, czego pragnął. Był to wyjątkowy dar. Wiedziała, że bez niej mu się nie uda.

– Chciałbym oficjalnie to ogłosić za dwa dni. Jutro wracamy do Waszyngtonu.

– Dzięki za informację.

– Gdybyś nie uciekła, poznałabyś wcześniej nasze plany – oświadczył obcesowo. Przyglądał się jej, zastanawiając się, jaką decyzję podejmie. Znał ją na tyle dobrze, by wiedzieć, że nie może jej do niczego zmusić. Przez chwilę rozważał telefon do jej ojca, bał się jednak, że mogłoby się to ostatecznie obrócić przeciwko niemu.

Była to długa, męcząca noc dla Olivii, żałowała, że nie może znów iść na samotny spacer. Potrzebowała czasu do namysłu, lecz ochrona była bardzo wyczulona. Żałowała, że nie może porozmawiać z Peterem. Zastanawiała się, co by pomyślał, czy uznałby, że jest Andy'emu winna ten ostatni dar, ostatni wielki gest lojalności, czy powiedziałby, że jest szalona. Pięć lat wydawało się jej wiecznością, wiedziała, że znienawidzi ten okres, zwłaszcza jeśli Andy wygra wybory.

Rankiem podjęła decyzję, spotkała się z mężem przy śniadaniu. Był zdenerwowany i blady, lecz nie dlatego że mógłby ją stracić, lecz z przerażenia, że nie pomoże mu wygrać wyborów.

– Podejrzewam, że powinnam powiedzieć teraz coś głębokiego – szepnęła nad kawą i rogalikami.

Andy poprosił, by wszyscy wyszli, co nie zdarzało się często. Od wielu lat nie przebywała z nim sam na sam, chyba że nocą w łóżku, a teraz zdarzało się to po raz drugi w ciągu dwóch dni. Patrzył na nią z wyrzutem, przekonany zapewne, że mu odmówi.

– Skończyliśmy już chyba jednak z głębokimi uczuciami, prawda? Ciągle się zastanawiam, jak do tego doszło. Wciąż pamiętam początek. Myślę, że wtedy mnie kochałeś, nie wiem, co stało się później. Pamiętam poszczególne wydarzenia, odtwarzam je w głowie jak kronikę filmową, lecz nie potrafię powiedzieć, kiedy dokładnie wszystko się popsuło. Ty potrafisz? – zapytała ze smutkiem.

– Nie jestem pewien, czy to ma jakieś znaczenie – odparł przygnębiony. Wiedział już, co mu powie. Nie podejrzewał jej o taką mściwość. Miewał romanse, zrobił wiele rzeczy, lecz nigdy nie myślał, że to ma dla niej znaczenie. Teraz zrozumiał, jaki był głupi. – Myślę, że takie rzeczy się po prostu dzieją. Zginął mój brat. Nie wiesz, jaki to był dla mnie cios. Byłaś przy mnie, lecz nie czułaś tego co ja. Nagle wszystkie oczekiwania względem niego przeniosły się na mnie. Musiałem przestać być tym, kim byłem, i stać się nim. Chyba się w tym wszystkim pogubiłem.

– Może trzeba było mi wtedy o tym powiedzieć. – Może nigdy nie powinni mieć Alexa. Może powinna odejść od niego na samym początku. Nie oddałaby jednak dwóch lat życia Alexa za nic. Niestety, nawet to nie skłoniłoby jej do urodzenia mu kolejnego dziecka. Gdy spojrzała na męża, zrozumiała, że musi położyć kres jego męczarniom. Umierał, czekając na jej decyzję. Postanowiła zrobić to szybko. – Postanowiłam zostać z tobą na pięć lat za milion dolarów rocznie. Nie mam pojęcia, co zrobię z tymi pieniędzmi, może oddam je organizacji charytatywnej, może kupię sobie zamek w Szwajcarii, założę instytut badawczy pod patronatem Alexa, nieważne, pomyślę o tym później. Zaproponowałeś mi milion rocznie, przyjmuję go. Ja też mam swoje warunki. Chcę od ciebie gwarancji, że zwolnisz mnie z danego słowa po pięciu latach, niezależnie od tego, czy zostaniesz wybrany na drugą kadencję, czy nie. Jeśli przegrasz w przyszłym roku, wszystko jest możliwe, odejdę dzień po wyborach. Koniec z udawaniem. Będę pozować do zdjęć, jeździć z tobą wszędzie, gdzie będziesz chciał, lecz już nie jesteśmy małżeństwem. Nikt inny nie musi wiedzieć, lecz chcę, by pomiędzy nami to było jasne. Chcę mieć zawsze własny pokój i nie będzie więcej dzieci. – Było to obcesowe, szybkie i bezpośrednie. Zawarła umowę, której rezultatem był pięcioletni wyrok, a Andy był tak zszokowany, że nawet nie wyglądał na zadowolonego.

– Jak mam wyjaśnić wszystkim oddzielne sypialnie? – Był zmartwiony i zachwycony zarazem. Dostał niemal wszystko, czego chciał, z wyjątkiem dziecka, a to od początku był pomysł szefa jego kampanii.

– Powiedz, że cierpię na bezsenność. Albo miewam koszmary.

Pomysł był niezły, uznał, że zmyślą jakąś bajeczkę, by to ukryć... on tyle pracował... stres związany z prezydenturą... coś w tym guście.

– Może rozważysz adopcję? – Zamierzał negocjować do upadłego, ona jednak pozostała stanowcza.

– Zapomnij. Nie będę handlować dziećmi dla polityki. Nie zrobiłabym tego nikomu, a już na pewno nie niewinnemu dziecku. Dzieci zasługują na lepsze życie niż takie i na lepszych rodziców niż my. – Czuła, że pewnego dnia zapragnie dziecka, może nawet jakieś adoptuje, lecz nie z nim i nie jako część równie bezuczuciowego kontraktu biznesowego jak ten. – Chcę mieć to wszystko na piśmie. Jesteś prawnikiem, możesz sam sporządzić umowę, tylko pomiędzy nami, nikt nie musi o tym wiedzieć.

– Będziesz potrzebowała świadków – mruknął z rozbawieniem. Zachwyciła go swoją odpowiedzią. Po wszystkim, co powiedziała poprzedniego wieczoru, był pewien, że mu odmówi.

– W takim razie znajdź kogoś, komu ufasz – odparła cicho.

W jego świecie było to prawdziwe wyzwanie. Wszyscy, którzy go otaczali, sprzedaliby go za parę srebrników bez wahania.

– Nie wiem, co mam ci powiedzieć – mruknął; wciąż nie mógł się otrząsnąć ze zdumienia.

– Niewiele zostało do powiedzenia, prawda, Andy? – Parę słów wystarczyło, by on ubiegał się o prezydenturę, a ich małżeństwo dobiegło końca. Posmutniała na tę myśl, lecz pomiędzy nimi nie było już niczego: ani czułości, ani nawet przyjaźni. Wiedziała, że będzie to dla niej pięć długich lat, i dla swojego dobra miała nadzieję, że Andy jednak nie wygra.

– Dlaczego się zgodziłaś? – zapytał miękko. Nigdy dla nikogo nie czuł takiej wdzięczności.

– Nie wiem. Uznałam, że jestem ci to winna. Źle się czułam ze świadomością, że mogę dać ci coś, czego bardzo pragniesz, albo ci to odebrać. Ty nie odbierasz mi niczego poza wolnością. Pragnę pisać, lecz to może zaczekać. – Spojrzała na niego z zainteresowaniem, a on po raz pierwszy od lat pomyślał, że w ogóle jej nie zna.

– Dziękuję ci, Olivio – powiedział cicho, wstając.

– Powodzenia – odparła.

Skinął głową i opuścił pokój, nie oglądając się za siebie. Po jego wyjściu uświadomiła sobie, że nawet jej nie pocałował.

Rozdział 8

Gdy Peter wylądował na lotnisku Kennedy'ego, czekała już na niego limuzyna. Zadzwonił po nią z samolotu, Frank oczekiwał go w biurze. Nowiny nie były takie złe, jak Peter się obawiał, lecz nie były też pomyślne. Wiedział, że dla Franka będzie to zaskoczenie i będzie domagał się obszernych objaśnień. Przecież jeszcze pięć dni temu, gdy Peter opuszczał Genewę, wszystko wyglądało dobrze.

W piątkowy wieczór panowały w mieście ogromne korki. Wciąż trwały godziny szczytu, był czerwiec. Samochody tłoczyły się wszędzie, dotarł do siedziby Wilson-Donovan dopiero po szóstej, był zdenerwowany i wyczerpany. Cały lot spędził na przeglądaniu notatek i raportów Sucharda, ani raz nie pomyślał o Olivii. Mógł myśleć tylko o Franku, Vicotecu i ich przyszłości. Najgorsze było to, że musieli odwołać przesłuchania przez komisją FDA w sprawie wcześniejszego wypuszczenia leku na rynek, choć była to jedynie formalność. Peter wiedział, że Frank będzie gorzko rozczarowany.

Teść czekał na niego na czterdziestym czwartym piętrze biurowca, w obszernym narożnym gabinecie, który zajmował od niemal trzydziestu lat, odkąd firma Wilson-Donovan przeniosła się do tego budynku. Jego sekretarka przywitała Petera i zaproponowała mu coś do picia – poprosił tylko o szklankę wody.

– W końcu dotarłeś! – Frank wyglądał dystyngowanie i jowialnie w ciemnym garniturze w prążki, z siwymi włosami; Peter zauważył kątem oka butelkę francuskiego szampana chłodzącą się w srebrnym wiaderku. – Po co te sekrety? Byłeś bardzo tajemniczy.

Panowie uścisnęli sobie dłonie, Peter zapytał teścia o samopoczucie. Frank Donovan wyglądał o wiele lepiej niż on. Miał siedemdziesiąt lat, lecz wciąż był w pełni sił, cieszył się dobrym zdrowiem i nad wszystkim miał pieczę. Nakazał Peterowi, by ten opowiedział mu, co stało się w Paryżu.

– Dzisiaj widziałem się z Suchardem. – Nagle Peter pożałował, że nie wspomniał o kłopotach przez telefon. Butelka szampana tkwiła w kącie niczym zarzut. – Testy długo trwały, lecz chyba były tego warte. – Kolana zaczęły mu drżeć jak młodemu chłopakowi, pożałował, że musi tu być.

– Co to znaczy? Czysta karta, jak rozumiem? – Frank zmrużył oczy, gdy Peter pokręcił głową.

– Obawiam się, że nie. Jeden z drugorzędnych składników oszalał w pierwszej rundzie testów, Suchard postanowił, że nie zaaprobuje leku, dopóki nie przeprowadzi wszystkich testów ponownie i nie uzna, czy to poważny problem, czy może błąd w pomiarach.

– Co się okazało?

Obaj mieli ponure miny.

– Obawiam się, że to usterka leku. Musimy zmienić jeden składnik. Jeśli to zrobimy, będziemy mieli wolną rękę. Obecnie jednak, cytując Sucharda, Vicotec to zabójca.

Peter wyglądał na gotowego zmierzyć się ze wszystkim, lecz Frank tylko pokręcił głową z niedowierzaniem, po czym usiadł w fotelu, myśląc o tym, co właśnie usłyszał.

– To śmieszne. Przecież wiemy już wszystko. Przypomnij sobie Berlin. Genewę. Prowadzili testy od wielu miesięcy, z każdego wyszliśmy zwycięsko.

– W Paryżu się jednak nie udało. Nie możemy tego zignorować. Dobrze, że to tylko jeden składnik, Suchard uważa, że można go zamienić „stosunkowo łatwo" – znów zacytował lekarza.

– Jak łatwo? – Frank wykrzywił wargi, życzył sobie jednoznacznej odpowiedzi.

– Według Sucharda, przy dobrych układach badania zajmą od pół roku do roku. Maksymalnie dwa lata. Jeśli jednak znów podwoimy obsadę w instytutach, uda nam się zdążyć przed następnym rokiem kalendarzowym, moim zdaniem. Wcześniej chyba nie damy rady. – Wszystko drobiazgowo skalkulował podczas lotu.

– Nonsens. Za trzy miesiące stajemy przed FDA, by poprosić o zgodę na wcześniejsze testy na ludziach. Tyle mamy czasu i tyle nam to zabierze. Twoje zadanie polega na tym, by tego dopilnować. Ściągnij tu tego francuskiego głupca do pomocy, jeśli będziesz musiał.

– Nie uda nam się tego zrobić w trzy miesiące. – Peter był przerażony słowami Franka. – To niemożliwe. Musimy wycofać prośbę o wcześniejsze próby z FDA i przełożyć nasze wystąpienie przed komisją.

– Nie zrobię tego! – ryknął Frank. – Skompromitowalibyśmy się. Masz mnóstwo czasu na dopracowanie drobiazgów, zanim przed nią staniemy.

– Jeśli się nie uda, a komisja wyda zgodę, zabijemy kogoś. Suchard powiedział, że to niebezpieczne. Frank, bardziej niż ktokolwiek chcę, by ten produkt trafił na rynek. Nie zamierzam jednak poświęcać dla niego ludzi.

– Mówię ci – syknął Frank przez zaciśnięte zęby – że masz trzy miesiące, by to rozwiązać przed przesłuchaniem.

– Nie stanę przed komisją z potencjalnie niebezpiecznym lekiem, Frank. Rozumiesz, co ja mówię? – Po raz pierwszy w rozmowie z teściem Peter podniósł głos. Był jednak zmęczony, miał za sobą długi lot, od paru dni się nie wysypiał.

A Frank zachowywał się jak szaleniec, nalegał, by wystąpili przed komisją i poprosili o zgodę na testy na ludziach i szybką ścieżkę dla Vicotecu, mimo iż Suchard otwarcie stwierdził, że to zabójca. – Rozumiesz? – powtórzył, a starszy mężczyzna pokręcił głową z niemą furią.

– Nie, nie rozumiem. Znasz moje oczekiwania. Weź się do ich realizacji. Nie dorzucę złamanego grosza na dalsze badania. Lek zostanie zaakceptowany teraz albo nie trafi do produkcji w ogóle. Czy wyrażam się jasno?

– Bardzo – odparł cicho Peter, odzyskawszy nad sobą kontrolę. – W takim razie w ogóle nie trafi do produkcji. To, czy przekażesz dalsze środki na badania, to twoja decyzja – dodał z szacunkiem.

Frank zmierzył go gniewnym spojrzeniem.

– Dałem ci trzy miesiące.

– Potrzebuję więcej czasu, Frank. Dobrze o tym wiesz.

– Nie obchodzi mnie, czego potrzebujesz. Masz być gotowy na wrześniowe przesłuchanie.

Peter zapragnął zarzucić mu szaleństwo, lecz się nie odważył. Dotychczas Frank nigdy nie podjął tak niebezpiecznej decyzji. Zachowywał się całkowicie irracjonalnie, robił coś, co mogło pogrążyć firmę. Było to tak niespotykane, że Peter założył, iż rankiem odzyska rozsądek. Po prostu był rozczarowany.

– Przykro mi, że przywiozłem niepomyślne nowiny – powiedział cicho, zastanawiając się, czy Frank zażyczy sobie, by go odwieźć do Greenwich. Jeśli tak, czekała ich długa i niekomfortowa podróż, lecz Peter był na to gotowy.

– Suchard chyba zwariował – mruknął Frank gniewnie, podszedł szybkim krokiem do drzwi i otworzył je, dając Peterowi sygnał do wyjścia.

– Ja też byłem zdenerwowany, gdy to usłyszałem – przyznał Peter szczerze, choć zachowywał się przy tym rozsądniej niż Frank, który nie pojmował chyba konsekwencji swoich obecnych decyzji. Nie można prosić o zgodę na testy kliniczne i szybką ścieżkę dla leku, który jest potencjalnie niebezpieczny i nie został udoskonalony, bo oznacza to po prostu proszenie się o kłopoty. Nie mieściło mu się w głowie, że Frank tego nie dostrzega.

– To dlatego zostałeś w Paryżu na cały tydzień? – zapytał Frank, ewidentnie wciąż wściekły. Nie była to wina Petera, lecz to on przyniósł złe wieści.

– Tak. Myślałem, że Suchard szybciej skończy, jeśli będę na miejscu.

– Może w ogóle nie trzeba było przekazywać mu leku do badań.

Peter nie mógł uwierzyć w to, co słyszy.

– Jestem przekonany, że zmienisz zdanie, gdy to przemyślisz i przeczytasz raporty. – Podał mu plik dokumentów, które wyjął z aktówki.

– Przekaż to działowi badań. – Frank niecierpliwie machnął dłonią. – Nie będę czytać tych śmieci. Chcą nas bezsensownie opóźnić. Wiem, jak pracuje Suchard. Jest nerwowy jak stara baba.

– To wielokrotnie nagradzany naukowiec – odparł stanowczo Peter. Był gotów obstawać przy swoim, spotkanie z Frankiem okazało się koszmarem od początku do końca, bał się wyjść i wracać do Greenwich. – Myślę, że powinniśmy porozmawiać o tym w poniedziałek. Będziesz mieć czas, by to wszystko przetrawić.

– Tu nie ma czego przetrawiać. Nie będziemy więcej o tym rozmawiali. Jestem przekonany, że raport Sucharda to przejaw histerii, nie będę się z nim nawet zapoznawał. Jeśli ty masz ochotę, twoja sprawa. – Zmrużył powieki i pogroził mu palcem. – Nie wolno ci z nikim o tym rozmawiać. Oba działy badawcze mają trzymać gębę na kłódkę. Nie możemy dopuścić, by z powodu plotki FDA odrzuciła nasze podanie.

Peter czuł się tak, jakby występował w surrealistycznym filmie. Chyba naprawdę nadszedł czas, by Frank ustąpił ze stanowiska, jeśli miał podejmować takie decyzje. Nie mieli wyboru. Nie mogli stanąć przed komisją, dopóki lek nie będzie gotowy. Nie miał pojęcia, dlaczego Frank nie chce słuchać. Jego teść wyglądał jednak na coraz bardziej zdenerwowanego i w końcu zmienił temat.

– Gdy cię nie było, otrzymaliśmy notę od Kongresu – warknął. – Kongresmeni chcą, byśmy wystąpili przed podkomisją jesienią, tematem będą wysokie ceny farmaceutyków na współczesnym rynku. Rząd znów będzie marudzić, dlaczego nie rozdajemy leków za darmo na ulicach. Przecież ciągle to robimy w klinikach i krajach Trzeciego Świata. To biznes, na litość boską, a nie fundacja charytatywna. I nie myśl sobie, że Vicotec będzie miał śmiesznie niską cenę. Nie pozwolę na to!

Włosy na karku Petera stanęły dęba, gdy teść to powiedział. Cały sens wyprodukowania leku zawierał się w tym, że będzie dostępny dla mas, dla ludzi na odległych terenach wiejskich lub będących w trudnej sytuacji, którzy nie mieli możliwości skorzystania z profesjonalnej opieki, podobnie jak jego matka i siostra. Jeśli Wilson-Donovan wyceni lek zaporowo, ten cel zostanie zniweczony. Musiał zwalczyć falę paniki, która go ogarnęła.

— Myślę, że cena będzie w tym wypadku istotną kwestią — zauważył spokojnie.

— Kongres też tak myśli — warknął Frank. — Nie wezwano nas tylko po to, chodzi o szerszy kontekst, lecz musimy jasno optować za wysokimi cenami, w przeciwnym razie wepchną nam nasze deklaracje do gardła, gdy Vicotec trafi na rynek.

— Myślę, że nie powinniśmy się teraz afiszować. — Peter czuł w piersi coraz większy ciężar. Nie podobało mu się to, co słyszy. Frankowi chodziło tylko o zysk. Opracowywali cudowny lek, a jego teść zamierzał to wykorzystać, jak tylko się da.

— Już przyjąłem zaproszenie. Pojedziesz. Wrzesień będzie odpowiedni, przy okazji przesłuchań przed FDA. I tak będziesz wtedy w Waszyngtonie.

– A może nie – odparł twardo Peter, zdecydowany odłożyć bitwę na później. Był wyczerpany. – Podwieźć cię do Greenwich? – zapytał uprzejmie, zmieniając temat.

Wciąż był zdumiony uporem Franka. Jego zachowanie przeczyło zdrowemu rozsądkowi.

– Jem kolację w mieście – odparł krótko Frank. – Zobaczymy się w weekend.

Peter był przekonany, że teść i Katie już coś zaplanowali, a szczegóły pozna, gdy wróci do domu. Po wyjściu z biura mógł myśleć tylko o braku logiki w stanowisku Franka. Może zaczynał się starzeć. Żadna racjonalnie myśląca osoba nie zdecydowałaby się na wystąpienie przed komisją FDA z wnioskiem o dopuszczenie do użytku niebezpiecznego leku, przecież obaj wiedzieli, co powiedział Suchard, obaj znali ryzyko. Zdaniem Petera, nie miało to niczego wspólnego z legalnością ani z ewentualną odpowiedzialnością cywilnoprawną, lecz wiązało się raczej z moralną odpowiedzialnością. Przecież dopuszczony do sprzedaży w obecnej formie Vicotec mógłby kogoś zabić. Peter nie miał wątpliwości, że to on i Frank byliby temu winni, a nie lek.

Przez całą godzinną podróż dochodził do siebie po spotkaniu z teściem, a gdy w końcu dotarł do domu, Katie i chłopcy czekali na niego w kuchni. Katie próbowała rozstawić grilla, Mike obiecał pomóc, lecz cały czas rozmawiał przez telefon – umawiał się na randkę na wieczór, a Paul stwierdził, że musi się zająć czymś innym. Peter spojrzał na żonę smutno, zdjął marynarkę i włożył fartuch. Dla niego była druga w nocy, lecz nie było go w domu przez cały tydzień i czuł się z tego powodu winny.

Gdy próbował pocałować Kate na powitanie, zdziwił go jej chłód, zaczął się zastanawiać, czy podejrzewa, co się wydarzyło w Paryżu. Zdolności telepatyczne kobiet często go zdumiewały. Nie zdradził jej przez osiemnaście lat trwania ich małżeństwa i gdy to w końcu zrobił, uznał, że od razu się domyśliła. Chłopcy zniknęli niemal natychmiast, zajęci swoimi sprawami, a Kate traktowała go chłodno także podczas kolacji. Dopiero gdy dzieci wyszły w domu, odezwała się do niego, a on poczuł ból w sercu, gdy to usłyszał.

– Ojciec mówi, że byłeś dziś dla niego bardzo szorstki – oświadczyło cicho, sztyletując go wzrokiem. – To nieuczciwe. Nie było cię cały tydzień, był taki podekscytowany perspektywą wprowadzenia Vicotecu na rynek, a ty wszystko popsułeś. – Nie martwiła jej inna kobieta, lecz ojciec. Jak zwykle broniła go, nie wiedząc nawet, co się wydarzyło.

– To nie ja wszystko popsułem, lecz Suchard, Kate – odparł wyczerpany. Nie był w stanie toczyć tej walki na dwóch frontach. Niewiele spał przez cały tydzień, a fakt, że przed własną żoną musi bronić swoich biznesowych decyzji, głęboko go niepokoił. – Laboratorium we Francji wykryło poważny problem, wadę w składzie Vicotecu, która mogłaby kogoś zabić. Musimy to zmienić. – Udzielił informacji spokojnie i rzeczowo, lecz ona nie wyzbyła się podejrzliwości.

– Tatuś mówi, że nie chcesz wystąpić przed komisją – dodała płaczliwym tonem.

– Oczywiście, że nie chcę. Myślisz, że przedstawię FDA produkt z poważną wadą i poproszę o zgodę na wcześniejsze wypuszczenie go na rynek, by go sprzedawać niczego niepodejrzewającym ludziom? Nie bądź śmieszna. Nie mam pojęcia, czemu twój ojciec tak nerwowo zareagował. Zakładam, że gdy przeczyta raporty, odzyska zdrowy rozsądek.

– Tata mówi, że jesteś dziecinny, że raporty są histeryczne, a nie ma powodów do paniki.

Nie ustępowała, Peter zacisnął zęby. Nie zamierzał z nią o tym dyskutować.

– To nie jest odpowiednia pora na taką rozmowę. Wiem, że twój ojciec jest zdenerwowany, ja też byłem. Tak jak on, nie chciałem uznać tych wyników. Jednak zaprzeczanie faktom nie jest żadnym rozwiązaniem.

– W twoich ustach ojciec wychodzi na głupca – oświadczyła gniewnie.

Peter również na nią warknął:

– Tak się właśnie zachowywał, a ty zachowujesz się jak jego matka, Kate. To nie jest nasz problem. To poważna sprawa firmy, chodzi o istotną decyzję biznesową, która może zagrozić ludzkiemu życiu. Nie my ją będziemy podejmować, nie będziemy jej też komentować, ponadto sądzę, że ty w ogóle nie powinnaś się w to angażować. – Rozwścieczyła go świadomość, że Frank najwyraźniej zadzwonił do niej, by się poskarżyć, gdy tylko opuścił biuro. Nagle przypomniał sobie słowa Olivii. Miała rację. Kate kierowała jego życiem, podobnie jak jej ojciec. Irytował go, że dotąd tego nie dostrzegał.

– Tata mówi, że nie chcesz nawet wystąpić przed Kongresem w sprawie cen. – Powiedziała to tak zranionym tonem, że Peter westchnął bezradnie.

– Tego nie powiedziałem. Moim zdaniem nie powinniśmy się teraz afiszować, lecz nie podjąłem jeszcze decyzji w sprawie noty Kongresu. Nic o tym nie wiem. – Ona wiedziała. Frank powiedział jej wszystko. Jak zwykle wiedziała więcej niż on.

– Dlaczego sprawiasz trudności? – dopytywała, gdy wkładał naczynia do zmywarki, by jej pomóc. Czuł się tak wyczerpany i tak skołowany przez różnicę czasu, że nie był w stanie myśleć.

– To nie twoja sprawa, Kate. Pozwól ojcu prowadzić Wilsona-Donovana. Wie, co robi. – I nie powinien skarżyć się córce. Peter był wściekły.

– Właśnie to ci wciąż powtarzam – odparła Kate triumfalnie.

Chyba nawet nie cieszyła się, że go widzi. Myślała tylko o tym, by bronić ojca. Nie przejmowała się tym, że Peter jest zmęczony, ani zawodem, jaki musiał odczuć, gdy odkryto skazy w Vicotecu, co postawiło pod znakiem zapytania przesłuchanie przed FDA i produkcję leku. Myślała

tylko o ojcu. Nigdy wcześniej nie dostrzegał tego tak wyraźnie jak teraz, głęboko go to raniło.

– Pozwól ojcu podejmować decyzje. Jeśli on mówi, że
możesz stanąć przed FDA, nie ma powodu, by się sprzeciwiać. A jeśli uszczęśliwi go twoje wystąpienie przed Kongresem w sprawie cen leków, dlaczego miałbyś tego nie zrobić?

Peter miał ochotę wrzeszczeć, gdy jej słuchał.

– Nie chodzi o wystąpienie przed Kongresem, Kate.
A stawienie się przed FDA za wcześnie, z potencjalnie niebezpiecznym produktem, to samobójstwo dla całej firmy
i dla pacjentów, którzy zdecydują się go użyć, nieświadomi
zabójczych komplikacji, jakie może wywołać. Przyjmowała-
byś talidomid, wiedząc to, co wiesz dzisiaj? Oczywiście, że
nie. Poprosiłabyś FDA o zgodę na produkcję leku? Oczywiście, że nie. Nie możesz zignorować potencjalnie zabójczych wad produktu, gdy jesteś ich już świadoma, Kate. To
szaleństwo, tak jak przedwczesne stawienie się przed FDA.
Możesz skompromitować lek w oczach całego kraju, ujaw-
niając go za wcześnie lub niemądrze.

– Myślę, że ojciec ma rację. Jesteś tchórzem.

– Nie mogę w to uwierzyć. – Spojrzał na nią ze zdumieniem. – Tak ci powiedział?

Przytaknęła.

– Myślę, że jest bardzo zdenerwowany, nie życzę sobie,
byś się w to mieszała. Nie było mnie prawie dwa tygodnie
i nie chcę się teraz wdawać w sprzeczki o twojego ojca.

– Przestań więc go męczyć. Oczywiście, że jest zdenerwowany tym, jak się po południu zachowałeś. Myślę, że to podłe z twojej strony, Peterze, i nieuprzejme okazywać mu brak szacunku.

– Gdy będę potrzebować oceny swojego zachowania, Kate, poproszę o nią. Tymczasem jednak myślę, że załatwimy to z twoim ojcem między sobą. To dorosły człowiek, nie musisz go bronić.

– Może muszę. Jest od ciebie niemal dwa razy starszy, a ty w ogóle go nie szanujesz, wpędzisz go do grobu, jeśli będziesz nim tak poniewierał.

Była bliska łez, krzyczała na niego. Usiadł i zdjął krawat, nie mogąc w to wszystko uwierzyć.

– Na litość boską, przestaniesz wreszcie? To śmieszne. To dorosły człowiek. Sam potrafi o siebie zadbać, nie będziemy się o niego kłócić. Ty mnie wpędzisz do grobu, jeśli nie przestaniesz. Nie spałem cały tydzień, zamartwiając się tymi wynikami. – Jak również z powodu Olivii, rzecz jasna – trzy noce spędził na rozmowach z nią i jeździe do i z La Favière. Nie zamierzał jednak o tym wspominać, teraz wydawało mu się to takie nierzeczywiste, że przestawał w to wierzyć.

Kate katapultowała go z powrotem do jego świata z subtelnością wybuchu nuklearnego.

– Nie rozumiem, dlaczego byłeś dla niego taki okrutny – dodała, wycierając nos.

Peter utkwił w niej wzrok, zastanawiając się, czy ona i jej ojciec całkiem oszaleli. Przecież chodziło tylko o produkt. Pojawiły się problemy, które da się rozwiązać. Nie była to sprawa osobista. Jego odmowa stawienia się przed FDA nie była buntem przeciwko Frankowi, jego sprzeczka z teściem nie była afrontem wobec Katie. Czy oni poszaleli? A może zawsze tak było? Czy też nagle się pogorszyło? Był tak zmęczony, że z trudem to wszystko pojmował. Płacz Kate był kroplą, która przelała czarę. Wstał i wziął ją w ramiona.

– Uwierz mi, Kate, nie byłem dla niego okrutny. Może miał zły dzień. Tak jak ja. Chodźmy do łóżka, proszę... Jestem śmiertelnie zmęczony. – A może to przez utratę Olivii tak się czuł? Nie był w stanie tego rozstrzygnąć.

Katie niechętnie się z nim położyła, wciąż narzekała na to, jak niesprawiedliwie Peter potraktował jej ojca. Było to tak śmieszne, że przestał jej odpowiadać, a po pięciu minutach już spał, śnił o młodej dziewczynie na plaży. Śmiała się i wzywała go, pobiegł ku niej przekonany, że to Olivia, lecz gdy do niej podszedł, okazało się, że to Katie, która jest na niego zła. Krzyczała, a gdy jej słuchał, dostrzegł Olivię znikającą w oddali.

Gdy się następnego ranka obudził, znów poczuł nieznośny ciężar w sercu. Ogarnęła go obezwładniająca rozpacz. Nie rozumiał, skąd to uczucie, lecz gdy rozejrzał się po znajomym wnętrzu, wszystko sobie przypomniał. Przypomniał sobie inny pokój, inny dzień, inną kobietę. Nie mógł uwierzyć, że miało to miejsce zaledwie dwa dni temu. Równie dobrze mogła upłynąć cała wieczność. Gdy leżał w łóżku, myśląc o niej, do pokoju weszła Katie i oświadczyła, że po południu są umówieni z tatą na partię golfa.

Olivia zniknęła, marzenie również. Powrócił do rzeczywistości, do tego samego życia, które zawsze wiódł, a które nagle wydało mu się całkowicie inne.

Rozdział 9

Ostatecznie sytuacja nieco się uspokoiła. Katie odzyskała humor i przestała bronić ojca, jakby był dzieckiem nieradzącym sobie w piaskownicy. Często widywali się z nim na stopie towarzyskiej i po kilku dniach obojgu, i Katie, i Frankowi, polepszyły się nastroje. Peter zawsze był zadowolony, gdy miał w pobliżu synów, choć ci w tym roku zdawali się spędzać mniej czasu z rodzicami. Mike zrobił prawo jazdy i wszędzie woził Paula — wyręczał w tym rodziców, lecz oznaczało to także, że rzadziej się widywali. Nawet Patrick coraz więcej czasu spędzał poza domem. Zakochał się w dziewczynie z sąsiedztwa i całe dnie spędzał u niej.

— Co jest z nami nie tak? Nagle jesteśmy trędowaci? — zapytał Peter Kate pewnego ranka przy śniadaniu. — W ogóle już nie widujemy dzieci. Ciągle gdzieś wychodzą. Myślałem, że po to wracają do domu ze szkół, by z nami pobyć, a ich nigdy nie ma. – Czuł się autentycznie osamotniony bez synów. Lubił spędzać z nimi czas, ich nieobecność go zasmucała. Zapewniali mu towarzystwo i swobodę, której nie czuł już przy Kate.

– Będziesz się z nimi widywał na wyspie przez całe lato – odparła spokojnie. Przywykła już do ich nieobecności i do tego, że mają swoje życie. Prawdę mówiąc, nigdy nie bawiła się z nimi tyle co on. Peter zawsze był wspaniałym ojcem, także gdy chłopcy byli mali.

– Powinienem teraz umówić się z nimi na jakieś spotkanie? Do diaska, do sierpnia zostało jeszcze tylko pięć tygodni. Nie chciałbym się z nimi minąć. Będę tam tylko miesiąc. – Żartował tylko po części.

Kate wybuchnęła śmiechem.

– Są już dorośli – oświadczyła rzeczowo.

– To znaczy, że zostałem zwolniony? – Był naprawdę tym zdumiony. W wieku czternastu, szesnastu i osiemnastu lat chłopcy nie potrzebowali już rodziców.

– Mniej więcej. Możesz grywać z tatą w golfa w weekendy.

Ironia polegała na tym, że ona nadal spędzała ze swoim ojcem więcej czasu niż ich synowie z własnymi rodzicami. Nie wytykał jej jednak tego, że reakcje ich synów są o wiele bardziej normalne.

Pomiędzy Peterem a Frankiem nadal panowało napięcie. W tym tygodniu Frank zaakceptował ogromny budżet na badania Vicotecu, które miały prowadzić podwójne obsady laboratoriów dniami i nocami, lecz nie wyraził zgody na odwołanie wystąpienia przed FDA, choć Peter z niechęcią zgodził się stawić przed Kongresem w sprawie cen, by zadowolić teścia.

Nie było to po jego myśli, uznał jednak, że sprawa nie jest warta walki, a poza tym jego wystąpienie zwiększało prestiż firmy. Nie podobało mu się, że będzie musiał bronić wysokich cen, których oni i inne firmy w branży żądali za swe produkty, mimo iż nie musieli. Jak jednak zauważył Frank, prowadzili ten biznes dla zysku. Zapobiegali chorobom, lecz chcieli czerpać z tego profity. Peter marzył, by Vicotec był inny, miał nadzieję, że zdoła przekonać Franka do czerpania zysków z poziomu obrotów, nie z astronomicznych cen. Wiedzieli, że przez pierwszy okres będą bezkonkurencyjni. Frank nie chciał o tym rozmawiać. Chciał tylko, by Peter obiecał, że stawi się przed komisją FDA we wrześniu. Stało się to jego obsesją. Zamierzał wprowadzić Vicotec na rynek najszybciej, jak to możliwe, za wszelką cenę. Planował przejść do historii i zarobić miliony.

Utrzymywał, że mają mnóstwo czasu i że przy odrobinie szczęścia uda im się rozwiązać problemy przed wrześniem. Peter ostatecznie przestał się z nim sprzeczać, wiedział, że jeśli będzie trzeba, wycofają swój wniosek w późniejszym terminie.

Istniała nikła szansa, że jednak zdążą, choć według Sucharda było to wątpliwe. Peter uważał cele Franka za nierealne.

– A gdybyśmy sprowadzili Sucharda tutaj? To mogłoby nieco przyspieszyć proces – zasugerował, lecz Frank uznał to za zły pomysł.

Gdy Peter zadzwonił do Paula-Louisa, by to z nim omówić, powiedziano mu, że doktor Suchard jest na urlopie. Peter uznał to za zdumiewające, zirytowało go nie najlepsze wyczucie czasu naukowca. Nikt w Paryżu nie wiedział, dokąd Suchard udał się na urlop, Peter nie mógł więc zrobić niczego, by go odnaleźć.

Pod koniec czerwca sytuacja się ustabilizowała, a Frank, Kate i chłopcy zaczęli przygotowywać się do wyjazdu na Martha's Vineyard. Peter miał spędzić z nimi weekend 4 Lipca, a potem wrócić do miasta. Postanowił na ten okres zamieszkać w apartamencie należącym do firmy i wydłużyć godziny pracy w tygodniu, by weekendy móc spędzać na wyspie. Od poniedziałku do piątku chciał być osiągalny dla zespołów badawczych, w razie gdyby potrzebowały pomocy. Lubił mieszkać w mieście. W Greenwich czułby się samotnie bez Kate i dzieci. Była to doskonała okazja, by nadrobić zaległości.

Nie tylko o pracy myślał jednak w tym okresie. Dwa tygodnie wcześniej Andy Thatcher ogłosił, że będzie kandydować w wyborach na prezydenta, najpierw w przedwyborach, a jeśli je wygra, w wyborach ogólnych za rok w listopadzie.

Peter ze zdumieniem zauważył, że na konferencjach u boku Thatchera stała Olivia. Obiecali do siebie nie dzwonić, nie mógł się więc z nią skontaktować, by o to zapytać. Zaniepokoiła go jawność, z jaką stała u boku Andy'ego Thatchera, zastanawiał się, co to oznacza w świetle jej wcześniejszych planów, by go zostawić. Uzgodnili jednak, że nie będą do siebie dzwonić, i choć było to trudne, trwał przy tym postanowieniu. W końcu uznał, że jej regularne wystąpienia u boku Andy'ego na arenie politycznej oznaczają, że jednak postanowiła z nim zostać. Zastanawiał się, jak Olivia się z tym czuje, czy Andy zdołał jakoś wymóc na niej tę decyzję. Wiedział na tyle dużo o niej i jej małżeństwie, że uznał za nieprawdopodobne, by powodowało nią uczucie. Została z nim raczej zapewne z poczucia obowiązku. Tak naprawdę nie chciał wierzyć, że mogła to zrobić, bo wciąż go kochała.

Choć wydawało mu się to dziwne, oboje żyli dalej dawnym życiem po krótkim okresie spędzonym razem we Francji. Nie mógł przestać się zastanawiać, czy jej, tak jak jemu, nagle wszystko wydaje się inne. Z początku rozpaczliwie się temu opierał, wmawiał sobie, że nic się nie zmieniło. Nagle jednak kwestie, które nigdy go nie zajmowały, urosły do rangi poważnych problemów. Wszystko, co mówiła i robiła Kate, miało jakiś związek z jej ojcem. W pracy było coraz trudniej. Badania nad Vicotekiem nie przyniosły żadnych zmian. Frank zachowywał się całkowicie nierozsądnie. Nawet synowie nie potrzebowali Petera. Najgorsze było jednak to, że nie czuł już żadnej radości życia, żadnego podniecenia z powodu tajemnicy, romansu. Zniknęło wszystko, co dzielił z Olivią we Francji. Najbardziej bolało go to, że nie miał z kim porozmawiać. Nie uświadamiał sobie dotychczas, jak bardzo odsunęli się od siebie z Katie przez te lata, jak bardzo zajęta własnymi sprawami była jego żona, miała swoje rozrywki, swoje grono przyjaciół. Dla niego nie było już miejsca, jedynym mężczyzną, jaki się dla niej liczył, był jej ojciec.

Zastanawiał się, czy nie przemawia przez niego nadwrażliwość, brak rozsądku, przemęczenie albo zdenerwowanie i rozczarowanie Vicotekiem, lecz nie sądził, by tak było. Gdy pojechał do nich na wyspę 4 lipca, wszystko go irytowało. Czuł się wyobcowany wśród przyjaciół, nie dogadywał się z żoną, rzadko widywał synów. Nagle wszystko się zmieniło, ze zdumieniem obserwował, jak jego życie się rozpada. Zastanawiał się, czy nieświadomie nie próbuje doprowadzić do ostatecznej rozgrywki z Katie, by jakoś usprawiedliwić to, co zrobił z Olivią na południu Francji. Taki wyskok w dysfunkcjonalnym małżeństwie byłby bardziej zrozumiały, może łatwiej wybaczalny, choć coraz trudniej było mu z nim żyć.

Szukał w gazetach fotografii Olivii, a 4 lipca oglądał w telewizji Andy'ego. Brał udział w wyścigu na Cape Cod, przeprowadzono z nim wywiad na tle ogromnego jachtu przycumowanego tuż za nim. Podejrzewał, że Olivia musi być w pobliżu, lecz nie zdołał jej dostrzec.

– Czemu oglądasz telewizję w środku dnia?

Katie znalazła go w ich sypialni; gdy na nią spojrzał, nie mógł nie zauważyć, jaka jest nadal zgrabna. Miała na sobie jasnoniebieski strój kąpielowy i złotą bransoletkę z sercem, którą przywiózł jej z Paryża. Jej jasne włosy i zawadiacki wyraz twarzy nie wywierały na nim jednak tak potężnego wrażenia jak Olivia za każdym razem, gdy ją widział. Znów ogarnęło go poczucie winy, a Kate przeraziła się, widząc jego zmartwioną minę.

– Coś się stało?

– Nie, wszystko w porządku. Chciałem tylko obejrzeć wiadomości. – Odwrócił wzrok i wyłączył telewizor z obojętnym wyrazem twarzy.

– Może przyjdziesz do nas popływać? – zaproponowała z uśmiechem.

Na wyspie zawsze była szczęśliwa. Było to przyjemne miejsce, dom był łatwy do utrzymania. Rozkoszowała się towarzystwem dzieci i przyjaciół. To zawsze było dobre miejsce dla niej i dla Petera. To lato było jednak nieco odmienne. Na Peterze ciążyła ogromna presja badań nad Vicotekiem, a ona mogła tylko mieć nadzieję, że wszystko się uda i osiągną rezultat, na jaki liczyli on i ojciec. Mąż wydawał się jej taki nieszczęśliwy i pełen rezerwy.

Dopiero dwa tygodnie później Peter odkrył prawdę o laboratorium, siedział i wpatrywał się w przestrzeń, ściskając w dłoni słuchawkę. Nie mógł uwierzyć w to, co właśnie usłyszał, od razu pojechał na wyspę, by osobiście przedyskutować to z ojcem Katie.

– Zwolniłeś go? Dlaczego? Jak mogłeś to zrobić?

Frank Donovan pozbył się posłańca, który przyniósł im złe wieści. Nadal nie był w stanie zrozumieć, że w szerszej perspektywie Paul-Louis ich ocalił.

– To głupiec. Zachowuje się jak nerwowa staruszka, dostrzega duchy w ciemnościach. Nie było powodu, by dłużej go trzymać.

Po raz pierwszy od osiemnastu lat Peter doszedł do wniosku, że jego teść jest szalony.

– To jeden z najwybitniejszych naukowców we Francji, Frank, ma czterdzieści dziewięć lat. Co ty wyprawiasz? Mogliśmy skorzystać z jego pomocy, by przyspieszyć badania.

– Nasze ekipy same sobie poradzą. Rozmawiałem z nimi wczoraj. Twierdzą, że przed wrześniem będą gotowi. Do tego czasu Vicotec nie będzie miał żadnych wad, żadnych skaz, nie będzie żadnych duchów ani niebezpieczeństwa.

Peter mu nie uwierzył.

– Możesz to udowodnić? Jesteś pewien? Paul-Louis mówił, że zajmie to nawet rok.

– O to mi właśnie chodzi. Nie wiedział, co mówi.

Peter był tak przerażony poczynaniami Franka, że wykorzystał zasoby firmy, by odnaleźć Paula-Louisa, i zadzwonił do niego pierwszego wieczoru po powrocie do Nowego Jorku, by powiedzieć, jak bardzo mu przykro, i zreferować postępy w sprawie Vicotecu.

– Zabijecie kogoś – ostrzegł go Paul-Louis po angielsku z silnym akcentem. Wzruszył go ten telefon, zawsze czuł wielki szacunek dla Petera. Z początku powiedziano mu, że dymisja to jego pomysł, lecz potem dowiedział się, że polecenie nadeszło od samego prezesa. – Nie możecie ryzykować – kontynuował. – Musicie przeprowadzić wszystkie testy, a to zajmie całe miesiące, nawet przy podwójnej obsadzie laboratoriów pracujących przez całą dobę. Nie możesz im na to pozwolić.

– Nie pozwolę, obiecuję. Doceniam wszystko, co dla nas zrobiłeś. Przykro mi, że tak to się właśnie skończyło. – Mówił szczerze.

– Nie mam żalu. – Francuz wzruszył ramionami, uśmiechając się filozoficznie. Dostał już ofertę pracy z poważnej niemieckiej firmy farmaceutycznej z dużą fabryką we Francji, doszedł jednak do wniosku, że weźmie trochę wolnego, by to przemyśleć. Pojechał w tym celu do Bretanii. – Rozumiem. Życzę ci powodzenia. To mógłby być cudowny produkt.

Gawędzili jeszcze przez chwilę, Paul-Louis zadeklarował, że będzie w kontakcie, a w kolejnym tygodniu Peter jeszcze dokładniej przyglądał się rezultatom badań. Jeśli Paul-Louis się nie mylił, czekało ich wiele pracy, by dopuścić produkt do kolejnej fazy testów z czystym sumieniem.

Pod koniec lipca uczynili prawdziwe postępy. Peter był pełen otuchy, gdy wyjeżdżał z miasta, by spędzić urlop na

Martha's Vineyard. Dział badań obiecał codzienne przesyłać mu z biura raporty faksem. Ostatecznie jednak okazało się, że trudniej jest mu się zrelaksować niż zazwyczaj. Był na stałe przywiązany niczym pępowiną do faksu, który wypluwał z siebie dokumenty dotyczące Vicotecu i działalności firmy.

– W ogóle nie odpoczywasz w tym roku – narzekała jego żona, choć tak naprawdę nie zwracała na niego uwagi.

Spotykała się z przyjaciółmi, pielęgnowała ogród, wiele czasu spędzała w domu ojca, który pomagała odnawiać, rozważała, czy nie przebudować jego letniej kuchni. Pomagała mu zabawiać znajomych, zorganizowała dla niego kilka przyjęć, na których gościli wraz z Peterem. Na to również Peter narzekał. Powtarzał, że nigdy jej nie ma, a gdy już ją zobaczy, ona zazwyczaj biegnie na spotkanie z ojcem.

– Co się z tobą dzieje? Nigdy wcześniej nie byłeś zazdrosny o tatusia. Czuję się tak, jakby każdy z was próbował mnie przeciągnąć na swoją stronę – powiedziała z irytacją.

Peter nigdy nie miał pretensji o czas, jaki spędzała z ojcem, a teraz ciągle narzekał. Ojciec nie był lepszy, nadal czuł gniew na Petera z powodu jego stanowiska w sprawie Vicotecu.

Pomiędzy oboma panami panowało w tym roku wyraźne napięcie i już w połowie sierpnia Peter był gotów wrócić do miasta, wykorzystując pracę jako wymówkę. Miał dość. Nie był pewien, co jest tego przyczyną, może on sam, lecz parę razy posprzeczał się z dziećmi, uznał, że Katie jest wyjątkowo trudna, i miał po dziurki w nosie kolacji w domu Franka. Poza tym pogoda była paskudna, przez cały tydzień nękały ich burze, pojawiło się też zagrożenie huraganem znad Bermudów. Trzeciego dnia wysłał wszystkich do kina, zabezpieczył żaluzje i przywiązał meble na tarasie. Zjadł lunch przed telewizorem, obejrzał mecz, po czym przełączył na wiadomości, by wysłuchać doniesień na temat huraganu Angus. Ogarnęło go przerażenie, gdy zobaczył zdjęcie ogromnego jachtu, a zaraz po nim fotografię senatora Andy'ego Thatchera. Reportaż trwał już jakiś czas, prezenter mówił o „tragedii, jaka wydarzyła się poprzedniej nocy. Ciał dotychczas nie odnaleziono. Senator odmówił komentarza".

– O, mój Boże – powiedział do siebie głośno, wstał gwałtownie i odłożył kanapkę na stół. Musiał się dowiedzieć, co się z nią stało. Żyje czy też nie, czy to jej ciała szukają? Był bliski łez, gdy utkwił wzrok w ekranie i zaczął nerwowo zmieniać kanały.

– Cześć, tato. Jaki wynik? – zapytał Mike, przechodząc przez pokój. Właśnie wrócili z kina.

Peter nie usłyszał, kiedy przyjechali, wyglądał jak duch, gdy spojrzał na syna.

– Jaki wynik... nie ma goli... nie wiem... nieważne. – Odwrócił się do telewizora, gdy Mike wyszedł, lecz nie mógł niczego znaleźć.

W końcu natknął się na rozpoczęcie serwisu na kanale drugim. Sztorm zaatakował trzydziestometrowy jacht Andy'ego na zdradliwych wodach tuż za Gloucester. Pomimo swych rozmiarów i rzekomej stabilności łódź zatonęła w mniej niż dziesięć minut, gdy uderzyli o skały. Na pokładzie znajdował się tuzin osób. Jacht był skomputeryzowany, nawigował sam Thatcher z pomocą jednego marynarza i paru przyjaciół. Kilkoro pasażerów uznawano za zaginionych, lecz sam senator przeżył. Jego żona i jej brat, młodszy kongresmen z Bostonu Edwin Douglas, pozostali na pokładzie, niestety, żona kongresmena i dwoje ich dzieci wypadło za burtę. Jej ciało zostało odnalezione wczesnym rankiem, ciał dzieci nie odnaleziono. Następnie, niemal jednym tchem, prezenter wyrecytował, że żona senatora Olivia Douglas Thatcher niemal utonęła. Została przewieziona w stanie krytycznym do szpitala Addison Gilbert po tym, jak w nocy wyłowiła ją z wody Straż Przybrzeżna. Była nieprzytomna, gdy ją odnaleziono, na wodzie utrzymywała ją kamizelka ratunkowa.

– O, mój Boże... o, mój Boże...

Olivia. Tak bardzo bała się oceanu. Mógł sobie tylko wyobrażać, co przeżyła, myślał tylko o tym, jak się do niej dostać. Jak by to jednak wytłumaczył? Co powiedzieliby w wiadomościach? Anonimowy biznesmen pojawił się dzisiaj w szpitalu, rozpaczliwie domagając się widzenia z panią Thatcher, czego mu odmówiono. Założono mu kaftan bezpieczeństwa, po czym odesłano do domu, do żony, by odzyskał rozum...

Nie miał pojęcia, jak do niej dotrzeć, jak się z nią zobaczyć, nie powodując problemów dla nich obojga. Gdy znów usiadł i utkwił wzrok w telewizorze, uświadomił sobie, że choć Olivia jest w stanie krytycznym, nie może jej odwiedzić. Inny kanał twierdził, że nie odzyskała dotąd przytomności, jest utrzymywana w głębokiej śpiączce, znów pokazywano jej zdjęcia i wymieniano tragedie, jakie ją spotkały, dokładnie tak jak w Paryżu. Reporterzy czatowali przed domem jej rodziców w Bostonie, pokazano kilkuminutową migawkę z jej bratem, który opuszczał szpital pogrążony w żalu z powodu utraty żony i dzieci. Stanowił tak bolesny widok, że Peter poczuł łzy na policzkach, gdy mu się przyglądał.

— Co się stało, tato? — Mike wrócił do pokoju, miał zmartwioną minę.

— Nie, nic... nic mi nie jest... coś złego spotkało moich znajomych. To straszne. Podczas wczorajszego sztormu nad Cape Cod zatonęła łódź senatora Thatchera. Wygląda na to, że zginęło wiele osób, inne zostały ranne. — A ona wciąż była w śpiączce. Dlaczego ją to spotkało? A gdyby umarła? Nie mógł sobie tego wyobrazić.

— Znasz ich? — zapytała zaskoczona Katie, przechodząc z salonu do kuchni. — Czytałam o tym wypadku w gazecie dziś rano.

— Poznałem ich w Paryżu — odparł, bojąc się ujawniać więcej, jakby mogła coś wywnioskować z tonu jego głosu albo, co gorsza, z jego łez.

– Podobno ona jest bardzo dziwna. A on ma wziąć udział w wyborach na prezydenta – dodała jeszcze Katie, na co nie odpowiedział.

Wszedł cicho po schodach na górę i zadzwonił do szpitala z ich sypialni.

Niczego się nie dowiedział od pielęgniarek z Addison Gilbert. Gdy powiedział, że jest bliskim przyjacielem rodziny, powtórzono mu tylko dokładnie to, co słyszał w telewizji. Olivia leżała na oddziale intensywnej terapii, nie odzyskała przytomności od chwili, w której ją uratowano. Jak długo może to trwać? Zastanawiał się, czy nie doszło do uszkodzenia mózgu, czy umrze, czy jeszcze kiedykolwiek zdoła ją zobaczyć. Na samą myśl o tym zapragnął być przy niej. Mógł jednak tylko położyć się na łóżku i wspominać.

– Wszystko w porządku? – Katie weszła na górę, by czegoś poszukać, zdumiał ją widok męża w łóżku.

Od wielu dni dziwnie się zachowywał, właściwie przez całe lato. Tak jak jej ojciec. Uważała, że Vicotec dla obu okazał się katastrofą, żałowała, że w ogóle podjęli decyzję o opracowaniu tego leku. Nie był wart ceny, jaką wszyscy za to płacili. Spojrzała na Petera i dostrzegła łzy jego oczach. Nie miała pojęcia, co to może znaczyć.

– Dobrze się czujesz? – zapytała z troską. Położyła mu dłoń na czole. Nie miał gorączki.

– Nic mi nie jest – odparł.

Znów ogarnęło go poczucie winy, lecz tak rozpaczliwie bał się o Olivię, że nie był w stanie myśleć. Nawet gdyby miał jej już nigdy nie zobaczyć, wiedział, że świat stanie się innym miejscem bez jej łagodnej twarzy, jej oczu, które zawsze przypominały mu brązowy aksamit. Zapragnął pobiec do niej, zmusić ją, by je otworzyła, i znów ją pocałować. Pragnął z nią być. A gdy znów zobaczył w telewizji Andy'ego, zapragnął go udusić za to, że jego nie ma przy niej. Relacjonował ostatnie wydarzenia, mówił, jak szybko nadszedł sztorm, jaką tragedią jest to, że nie zdołali ocalić dzieci. W jakiś sposób, choć nie powiedział tego wprost, zdołał przemycić wiadomość, że pomimo tylu straconych istnień i poważnego stanu żony okazał się bohaterem.

Peter zamknął się w sobie na cały dzień. Gdy zapowiadany huragan ominął ich dom, znów zadzwonił na oddział. Nic się nie zmieniło. Był to koszmarny weekend dla niego i dla Douglasów oczekujących na wieści w szpitalu. Późnym wieczorem w niedzielę, gdy Katie poszła spać, znów zatelefonował. Po raz czwarty tego dnia. Kolana się pod nim ugięły, gdy usłyszał od pielęgniarki słowa, o które się modlił.

– Obudziła się – powiedziała kobieta, a on poczuł ucisk w gardle. – Nic jej nie będzie – dodała łagodnie.

Rozłączył się, ukrył twarz w dłoniach i się rozpłakał. Był całkiem sam, mógł sobie na to pozwolić. O niczym innym nie mógł myśleć przez te dwa dni. Nie był nawet w stanie zostawić dla niej wiadomości, przesyłał jej tylko pomyślne myśli i swoje modlitwy. Zdumiał Kate, idąc w niedzielę rano do kościoła.

– Nie wiem, co się z nim dzieje – tłumaczyła Katie ojcu tego wieczoru przez telefon. – Przysięgam, to przez ten cały nonsens z Vicotekiem. Nienawidzę tego leku. On przez niego choruje, a mnie doprowadza do szaleństwa.

– Przejdzie mu – odparł Frank. – Wszyscy będziemy szczęśliwsi, gdy lek w końcu trafi na rynek.

Katie nie była jednak tego pewna. Ich potyczki stawały się coraz bardziej bolesne.

Następnego ranka Peter znów zadzwonił do szpitala, lecz nie pozwolono mu z nią rozmawiać. Za każdym razem podawał fałszywe nazwisko, teraz przedstawił się jako kuzyn z Bostonu. Nie mógł jej zostawić nawet zakodowanej wiadomości, bo nie wiedział, kto mógłby ją przejąć. Na szczęście jednak żyła i dochodziła do siebie. Jej mąż oświadczył na konferencji prasowej, że mieli ogromne szczęście i że Olivia wkrótce wróci do domu. Tego samego dnia udał się na Zachodnie Wybrzeże. Kampania wciąż trwała, a Olivii już nic nie groziło.

Andy pojawił się na pogrzebie żony i dzieci Edwina. Peter oglądał sprawozdanie z niego niczym zahipnotyzowany, ciesząc się, że Olivia nie musi brać w tym udziału. Wiedział doskonale, że nie zniosłaby tego. Przypominałoby jej to o jej własnym dziecku. Na pogrzebie byli jednak jej rodzice, Edwin, który bardzo rozpaczał i trzymał się blisko nich, oraz, rzecz jasna, Andy, który otaczał szwagra ramieniem. Wszyscy byli wytrawnymi politykami, każda gazeta i stacja telewizyjna była na miejscu, by przeprowadzić transmisję z dyskretnej odległości.

Olivia oglądała pogrzeb w telewizji na oddziale intensywnej terapii, zanosząc się łzami. Pielęgniarki były zdania, że nie powinna tego oglądać, lecz ona się uparła. To była jej rodzina, żałowała, że nie może z nią być, lecz gdy zobaczyła, jak Andy udziela wywiadu i mówi, jacy wszyscy byli dzielni, siebie kreując na bohatera, zapragnęła go zamordować.

Po wszystkim nawet do niej nie zadzwonił, by jej powiedzieć, jak się miewa Edwin. Gdy zatelefonowała do domu, odebrał jej ojciec, który brzmiał jak pijany i poinformował ją, że matce trzeba było podać leki uspokajające. Był to dla nich wszystkich okropny czas, Olivia żałowała, że nie mogła oddać za nich życia. Dzieci były jeszcze takie małe, jej szwagierka była po raz kolejny w ciąży, o czym nikt nie wiedział. Ona sama nie miała po co żyć. Wiodła puste życie jako marionetka egoisty. Jej śmierć nie dotknęłaby nikogo, może z wyjątkiem jej rodziców. Pomyślała o Peterze, o godzinach, które ze sobą dzielili, i zapragnęła się z nim zobaczyć. On jednak, tak jak inni ludzie, których kochała, należał już do przeszłości, nie była w stanie zaangażować go w swoją teraźniejszość ani przyszłość.

Leżała w łóżku przed wyłączonym telewizorem i płakała, myśląc o tym, jak jałowe jest jej życie. Zginęli jej bratanek i bratanica, ich matka, jej własne dziecko... brat Andy'ego Tom. Tak wielu dobrych ludzi. Nie mogła pojąć, dlaczego niektórzy zostali ocaleni, a inni nie.

– Jak się pani czuje, pani Thatcher? – zapytała delikatnie jedna z pielęgniarek, wchodząc do sali. Wszyscy widzieli, jaka jest nieszczęśliwa. Cała jej rodzina pojechała do Bostonu na pogrzeb, więc nikt jej nie odwiedzał. Pielęgniarka bardzo się o nią martwiła, lecz nagle coś sobie przypomniała. – Ktoś dzwoni do pani co parę godzin, odkąd panią przywieźli. Mężczyzna. Twierdzi, że jest starym przyjacielem rodziny – uśmiechnęła się – a dziś rano przedstawił się jako pani kuzyn. Jestem pewna, że to ten sam człowiek. Nigdy nie zostawił nazwiska, lecz wydaje się bardzo o panią martwić.

Od razu zrozumiała, że to musi być Peter. Kto inny dzwoniłby do niej, dlaczego jednak się nie przedstawił? To musiał być on; spojrzała na pielęgniarkę smutnym wzrokiem.

– Czy następnym razem mogę z nim porozmawiać? – Wyglądała niemal jak pobite dziecko. Była cała w siniakach od zderzenia ze szczątkami łodzi. Spotkała ją potworna tragedia, wiedziała, że już nigdy więcej nie zbliży się nawet do oceanu.

– Spróbuję go tu przełączyć, gdy znów zadzwoni – zapewniła ją pielęgniarka.

Gdy jednak następnego ranka Peter zadzwonił, Olivia spała. A potem na dyżurze pojawił się ktoś inny.

Leżała w łóżku, bezustannie o nim myśląc, zastanawiała się, jak się miewa, co stało się z Vicotekiem i postępowaniem FDA. Nie miała jak się tego dowiedzieć, uzgodnili, że nie będą się ze sobą kontaktować, gdy opuszczą Paryż. Było to takie trudne. Zwłaszcza tutaj, w szpitalu. Tak wiele spraw musiała przemyśleć, tak wielu kompromisów w swoim życiu nienawidziła. Obiecała Andy'emu, że z nim zostanie, lecz wypełnienie tej obietnicy kosztowało ją wszystko. Mogła myśleć tylko o tym, jakie krótkie, nieprzewidywalne i cenne jest życie. Sprzedała swoją duszę na pięć lat, co teraz wydawało się jej wiecznością. Mogła tylko mieć nadzieję, że mąż nie wygra wyborów. Wiedziała, że tego by nie przeżyła. A jako żona prezydenta nie mogłaby tak po prostu zniknąć. Musiałaby przez pięć kolejnych lat robić dobrą minę do złej gry.

Została na oddziale intensywnej terapii jeszcze cztery dni, dopóki jej płuca się nie oczyściły – wtedy przeniesiono ją na inną salę. Andy przyleciał z Wirginii, by się z nią zobaczyć. Gdy tylko się zjawił, w szpitalu zaroiło się od reporterów, kamerzystów, jeden z nich zdołał nawet zakraść się do jej sali. Natychmiast schowała się pod prześcieradłem, pielęgniarka usunęła wszystkich z piętra, lecz Andy przyciągał prasę jak krew rekiny, Olivia była tylko małą rybką, którą chcieli się pożywić.

Andy wpadł na genialny pomysł. Zaaranżował konferencję prasową na następny dzień, tuż przed jej pokojem. Zamówił fryzjera i wizażystę. Wszystko zostało ustalone,

Olivia miała przemawiać z wózka inwalidzkiego. Gdy jej to wszystko tłumaczył, poczuła, jak jej serce przyspiesza, a żołądek ściska się z nerwów.

– Nie chcę tego robić. – Przypomniała sobie okres po śmierci Alexa, gdy prasa śledziła każdy jej krok. Teraz będą chcieli wiedzieć, czy widziała, jak umierają jej bratanek lub bratanica, ewentualnie szwagierka, jak się czuje z myślą, że oni zginęli, a ona przeżyła, czy może to wytłumaczyć. Czuła duszności na samą myśl o tym, lecz mogła tylko kręcić głową z przerażeniem. – Nie mogę, Andy... Przepraszam... – Odwróciła głowę, zastanawiając się, czy Peter jeszcze do niej zadzwoni. Nie widziała się z tamtą pielęgniarką, odkąd opuściła oddział intensywnej opieki medycznej, nikt jej niczego nie mówił. A ona nie mogła o niego zapytać, o mężczyznę bez nazwiska, który dzwonił całymi dniami. Nie mogła robić niczego, co skupiłoby na niej uwagę prasy.

– Posłuchaj, Olivio, musisz porozmawiać z mediami, w przeciwnym razie pomyślą, że coś ukrywamy. Byłaś w śpiączce przez cztery dni. Nie chcesz, by kraj myślał, że masz uszkodzony mózg lub coś podobnego. – Już mówił do niej tak, jakby była upośledzona, a ona mogła myśleć tylko o pełnej łez rozmowie, którą rankiem przeprowadziła z bratem. Edwin był w rozsypce, wiedziała, co czuje, gdyż to samo przeszła po śmierci Alexa. Tyle że Edwin stracił całą rodzinę. A Andy chciał, by rozmawiała z dziennikarzami, siedząc na wózku inwalidzkim.

– Nie obchodzi mnie, co oni myślą, nie zrobię tego – oświadczyła stanowczo.

– Musisz – syknął. – Mamy umowę.

– Zbiera mi się przez ciebie na mdłości – odparła, odwracając się od niego.

Gdy przyszedł następnego ranka, powiedziała, że nie chce go widzieć. Nie spotkała się również ani z fryzjerem, ani z wizażystą, nie wyjechała też ze swojego pokoju na wózku. Dziennikarze uznali, że pogrywa sobie z nimi, a Andy przeprowadził konferencję w lobby, bez niej. Wyjaśnił, że przeżyła ogromny szok i dręczą ją wyrzuty sumienia z powodu tego, iż przeżyła jako jedna z nielicznych. Dodał, że on również cierpi z tego powodu, lecz trudno było uwierzyć, że Andy Thatcher cierpi na cokolwiek poza przemożnym pragnieniem, by zasiąść w Białym Domu niezależnie od kosztów. Nie zamierzał jednak tracić takiej okazji i następnego dnia sam wpuścił trzech reporterów do jej sali. Wyglądała żałośnie krucho, była rozpaczliwie przerażona. Zaczęła płakać, pielęgniarka i dwóch sanitariuszy zmusili w końcu reporterów do wyjścia. Dziennikarze zdołali jednak zrobić jej wcześniej pół tuzina zdjęć, a potem zebrali się w korytarzu, by porozmawiać z Andym. Gdy wrócił, a reporterzy opuścili szpital, Olivia wstała i zrobiła mu o to awanturę.

– Jak mogłeś do tego dopuścić? Cała rodzina Edwina zginęła, a ja nie wyszłam jeszcze nawet ze szpitala. – Szlochała, uderzając pięściami w jego tors, całkowicie upokorzona.

Musiał udowodnić wszystkim, że Olivia żyje i miewa się dobrze, że się nie załamała, co ludzie zaczynali podejrzewać, jako że nadal się ukrywała. Próbowała w ten sposób ocalić swoją godność, lecz Andy'emu na tym nie zależało. On walczył o polityczne przetrwanie.

Peter zobaczył te zdjęcia w wiadomościach tego samego wieczoru, współczuł jej całym sercem. Była taka przerażona i krucha, gdy leżała w łóżku, zanosząc się szlochem. Samotność w jej oczach rozdzierała mu duszę. Miała na sobie szpitalną piżamę, rurki od kroplówek w obu rękach, jeden z reporterów powiedział, że nadal cierpi na zapalenie płuc. Stanowiła dramatyczny widok, budziła sympatię, na co bez wątpienia liczył jej mąż. Peter mógł myśleć tylko o niej, po tym jak wyłączył telewizor.

Olivia zaskoczyła Andy'ego, gdy lekarze oświadczyli, że są gotowi wypisać ją pod koniec tygodnia; oznajmiła, że nie zamierza wrócić z nim do domu. Rozmawiała już o tym z matką. Zamierzała pojechać do domu rodziców. Potrzebowali jej. Dlatego postanowiła zamieszkać w posiadłości Douglasów w Bostonie.

– To śmieszne, Olivio – narzekał Andy przez telefon, gdy poinformowała go o swoich planach – nie jesteś małą dziewczynką. Twoje miejsce jest w Wirginii, przy mnie.

– Dlaczego? – zapytała obcesowo. – Byś mógł wpuszczać reporterów do mojego pokoju każdego ranka? Moja rodzina przeżyła straszliwą tragedię, pragnę być przy niej.

Nie winiła go za wypadek. Sztorm nie był jego winą, lecz fakt, że od tamtej pory zachowywał się z całkowitym brakiem godności, współczucia czy nawet przyzwoitości, sprawił, że nie mogła mu tego wybaczyć. Wykorzystał ich wszystkich. Zrobił to po raz kolejny: gdy opuszczała Addison Gilbert, w holu czekała na nią cała masa reporterów. Tylko Andy wiedział, kiedy wychodzi, tylko on mógł ich poinformować. Pojawili się też pod domem rodziców, lecz tym razem ojciec położył temu kres.

– Potrzebujemy odrobiny prywatności – oświadczył, a ludzie go posłuchali. Udzielił kilku wywiadów, a przy okazji wyjaśnił, że zarówno jego żona, jak i córka, a już na pewno syn, nie są teraz w stanie zabawiać przedstawicieli prasy. – Jestem pewien, że wszyscy to zrozumieją – dodał z powagą, pozując do zdjęcia. Dodał też, że nie będzie dodatkowych wyjaśnień odnośnie do obecności pani Thatcher w jego domu poza faktem, iż chciała być z matką i bratem, który również tam zamieszkał. Edwin Douglas nie mógł się zmusić, by wrócić do własnego domu, nie mówiąc już o radzeniu sobie z sytuacją.

– Czy Thatcherowie przechodzą kryzys z powodu wypadku? – zawołał jeden z reporterów.

Gubernator zrobił zdumioną minę. Nie przyszło mu to do głowy, zapytał o to małżonkę tej samej nocy przekonany, że ona coś wie.

– Nie sądzę. – Janet Douglas zmarszczyła brwi. – Olivia niczego nie powiedziała.

Oboje wiedzieli jednak, że ich córka jest bardzo skryta. Wiele przeszła przez ostatnie lata i pewne rzeczy wolała zatrzymywać dla siebie.

Andy od razu zaczął narzekać, gdy tylko usłyszał o tym pytaniu. Powiedział żonie, że jeśli szybko nie wróci do domu, wywoła falę plotek.

– Wrócę do domu, gdy będę na to gotowa – odparła chłodno.

– Czyli kiedy? – Wybierał się za dwa tygodnie do Kalifornii i chciał mieć ją u swego boku.

Olivia planowała powrót do Wirginii w ciągu paru dni, lecz jego naciski sprawiły, że zapragnęła zostać u rodziców dłużej, aż w końcu po tygodniu matka sama ją o to zapytała.

– Co się dzieje? – zagadnęła ją łagodnie, gdy Olivia odwiedziła ją w sypialni. Janet regularnie miewała migreny, właśnie dochodziła do siebie po jednej z nich, z zimnym okładem na głowie. – Czy pomiędzy tobą a Andym wszystko jest w porządku?

– To zależy od tego, jaka jest twoja definicja „porządku" – odparła Olivia chłodno. – Nie jest gorzej niż zwykle. Andy się gniewa, bo nie pozwalam zaszczuć się prasie na śmierć i nie chcę przeżywać wciąż na nowo wypadku w plotkarskich stacjach telewizyjnych. Dać mu dzień lub dwa, a na pewno by coś takiego zaaranżował.

– Polityka wyprawia z ludźmi najdziwniejsze rzeczy – zauważyła matka mądrze.

Dobrze to znała, wiedziała, ile ich to wszystko kosztuje. Nawet jej niedawna mastektomia została omówiona w telewizji, łącznie z wykresami i wywiadem udzielonym przez jej osobistego lekarza. Była małżonką gubernatora, wiedziała, czego się spodziewać. Większość dorosłego życia spędziła, będąc w centrum zainteresowania mediów, wiele przez to straciła. Wiedziała, że to samo spotyka teraz jej córkę. Drogo płaciły za wygrane, ale też przegrane wybory.

Olivia spojrzała na nią z powagą, zastanawiając się, co powiedziałaby matka, gdyby poznała prawdę. Myślała o tym od wielu dni. Uznała, że musi to zrobić.

– Odchodzę od niego, mamo. Nie mogę tego dłużej ciągnąć. Próbowałam zostawić go w czerwcu, lecz tak bardzo pragnął prezydentury, że zgodziłam się zostać z nim na czas kampanii i pierwszą kadencję, gdyby wygrał. – Spojrzała na matkę nieszczęśliwym wzrokiem. Wiedziała, że postąpiła źle. – Płaci mi za to milion dolarów rocznie. A najśmieszniejsze jest to, że nawet o to nie dbam. Brzmiało to jak zabawa, gdy mi to proponował. Zrobiłam to, bo kiedyś go kochałam. Nigdy chyba jednak nie kochałam go dostatecznie mocno, nawet na początku. Teraz wiem, że nie mogę tego zrobić. – Nikomu nie była nic winna, nawet Andy'emu.

– W takim razie nie rób tego – oświadczyła Janet Douglas. – Nawet milion dolarów za rok to za mało. I dziesięć by nie wystarczyło. Żadne pieniądze nie są warte tego, by sobie dla nich zrujnować życie. Uciekaj, dopóki możesz, Olivio. Ja powinnam była to zrobić wiele lat temu. Teraz jest już za późno. Zaczęłam przez to pić, zniszczyłam sobie zdrowie, moje małżeństwo to fikcja, nigdy nie mogłam robić tego, czego pragnęłam, skrzywdziłam rodzinę i utrudniłam życie nam wszystkim. Olivio, jeśli nie tego chcesz, jeśli sama nie pragniesz tego rozpaczliwie, uciekaj, dopóki możesz. Proszę cię, kochanie. – Jej oczy wypełniły się łzami, gdy uścisnęła dłoń córki. – Błagam cię. Nieważne, co powie ojciec, ja popieram cię w stu procentach. – Spojrzała na nią z powagą. Porzucenie polityki to jedno, porzucenie małżeństwa, które wciąż może być warte ratowania, to co innego. – A co z nim? Co z Andym?

– To się skończyło dawno temu, mamo.

Janet znów skinęła głową. Ta wiadomość nie była dla niej zaskoczeniem.

– Tak myślałam. Nie byłam pewna. – Uśmiechnęła się. – Twój ojciec uzna, że go okłamałam. Pytał mnie, czy wszystko pomiędzy wami w porządku, a ja potwierdziłam. Już wtedy nie byłam pewna.

– Dzięki, mamo. – Olivia zarzuciła jej ramiona na szyję. – Kocham cię. – Matka podarowała jej właśnie najcenniejszy dar, swoje błogosławieństwo.

– Ja też cię kocham, skarbie. Rób, co musisz, nie martw się tym, co powie ojciec. Nic mu nie będzie. Razem z Andym narobią hałasu, lecz w końcu to przeboleją. Andy jest młody. Zawsze może ponownie się ożenić i spróbować raz jeszcze. Jeszcze o nim usłyszą w Waszyngtonie. Nie pozwól się zmusić do powrotu do niego, Olivio, chyba że sama tego chcesz. – Janet pragnęła nade wszystko, by córka znalazła się jak najdalej stąd. Pragnęła dla niej wolności.

– Nie wrócę do niego, mamo. Nigdy. Powinnam go zostawić wiele lat temu... przed narodzinami Alexa, a już na pewno po jego śmierci.

– Jesteś młoda, jeszcze ułożysz sobie życie – oświadczyła Janet z tęsknotą. Ona nie miała takiej szansy. Zrezygnowała z własnego życia, kariery, przyjaciół, marzeń. Każdy gram energii zainwestowała w polityczną karierę męża, dla córki chciała czegoś innego. – Co zamierzasz robić?

– Pragnę pisać. – Olivia uśmiechnęła się nieśmiało, a jej matka wybuchnęła śmiechem.

– Życie zatoczyło krąg, nieprawdaż? W takim razie zrób to i nie pozwól, by ktokolwiek stanął ci na drodze.

Rozmawiały przez całe popołudnie, razem przygotowały lunch w kuchni. Olivia zastanawiała się nawet, czy nie powiedzieć matce o Peterze, lecz ostatecznie tego nie zrobiła. Napomknęła za to, że prawdopodobnie pojedzie do Francji, do wioski rybackiej, którą tak pokochała. Było to dobre miejsce do pisania, dobre miejsce na kryjówkę. Przed tym również matka ją przestrzegła.

– Nie możesz wiecznie się ukrywać.

– Dlaczego nie? – Uśmiechnęła się smutno. Nie pozostało jej nic innego, jak zniknąć, tym razem legalnie. Nie chciała mieć do czynienia z prasą ani z opinią publiczną.

Tego wieczoru Edwin zjadł z nimi kolację. Był pogrążony w żałobie i przygaszony, lecz Olivii udało się sprowokować go do śmiechu raz lub dwa; codziennie informowano go telefonicznie i faksem, co się dzieje w Waszyngtonie. Olivia uznała za niewiarygodne, że jest w stanie o tym teraz myśleć, w obliczu tak wielkiej straty, lecz Edwin był pod tym względem bardzo podobny do ojca. Polityka pochłaniała go w takim samym stopniu co ojca i jej męża. Późnym wieczorem zadzwoniła do Andy'ego i poinformowała go o swojej decyzji.

— Nie wracam — oświadczyła zwyczajnie.

— Znów ta sama śpiewka — mruknął z irytacją. — Zapomniałaś już o naszej umowie?

— Żaden punkt naszej umowy nie twierdzi, że muszę z tobą zostać czy pomóc ci zdobyć prezydenturę. Kontrakt gwarantuje mi tylko, że jeśli to zrobię, zapłacisz mi milion dolarów rocznie. Cóż, dzięki mnie właśnie zaoszczędziłeś fortunę.

— Nie możesz tego zrobić! — Po raz pierwszy okazał gniew. Zabierała mu przecież jedyną rzecz, której pragnął.

— Owszem, mogę. Właśnie to robię. Jutro rano lecę do Europy.

Wyjeżdżała dopiero za parę dni, lecz chciała, by zrozumiał, że to koniec. I tak następnego dnia zjawił się w Bostonie i jak przewidziała matka, przeciągnął jej ojca na swoją stronę. Olivia miała jednak trzydzieści cztery lata i własny rozum, była dojrzałą kobietą. Wiedziała, że nic nie przekona jej do zmiany zdania.

— Czy ty masz pojęcie, z czego rezygnujesz?! — krzyczał ojciec.

Andy zerkał na niego z wdzięcznością. Zdaniem Olivii, wyglądało to jak publiczna egzekucja.

– Tak – odparła cicho, patrząc im prosto w oczy – ze złamanego serca i kłamstw. Doświadczałam ich już od dawna i myślę, że jakoś sobie bez nich poradzę. Ach, zapomniałabym o wykorzystywaniu.

– Nie zgrywaj urażonej damy – mruknął ojciec z odrazą. Był politykiem starej daty, nie tak pompatycznym jak Andy. – To wspaniałe życie, wspaniała szansa, przecież wiesz.

– Może dla ciebie – odrzekła, patrząc na niego z nieskrywanym żalem. – Dla reszty z nas to życie wypełnione samotnością i rozczarowaniem, złamanymi obietnicami, którymi usłane są drogi kampanii. Pragnę prawdziwego życia z prawdziwym mężczyzną albo samotności, jeśli jest mi pisana. Nie dbam o to. Chcę tylko uciec od polityki najdalej, jak to możliwe, nie chcę już nigdy więcej słyszeć tego słowa. – Posłała znaczące spojrzenie matce, która się uśmiechała.

– Jesteś głupia! – Ojciec wybuchnął prawdziwym gniewem.

Gdy Andy tego wieczoru opuszczał ich dom, zjadliwie obiecał jej, że jeszcze zapłaci za to, co mu właśnie zrobiła.

Nie kłamał. Trzy dni później, w dzień jej wylotu do Francji, w bostońskich gazetach pojawiła się historia, którą tylko on mógł tam umieścić. Głosiła ona, że po tragicznym wypadku, w którym zginęło troje członków jej rodziny, Olivia doznała silnego stresu i została przyjęta do szpitala z powodu poważnego załamania nerwowego. Jej mąż był tym bardzo zaniepokojony i choć artykuł nie mówił tego wprost, sugerował, że to jej stan psychiczny jest przyczyną ich separacji. Autor artykułu sympatyzował z Andym, który, niestety, utknął na dobre z wariatką. Andy zadbał o wszystko. Gdyby opinia publiczna uznała ją za wariatkę, nie zaprotestowałaby, jeśliby ją porzucił. Runda pierwsza dla Andy'ego... a może była to runda druga... lub dziesiąta? Znokautował ją czy po prostu uciekła i ocaliła życie, kiedy nie patrzył? Już nawet tego nie była pewna.

Peter również przeczytał ten artykuł, od razu zrozumiał, że stoi za nim Thatcher. To nie było podobne do Olivii, wiedział o tym, choć znali się tak krótko. Tym razem jednak nie mógł tego sprawdzić, ponieważ w artykule nie wymieniono nazwy szpitala, w którym rzekomo leżała. Nie mógł poznać prawdy, co doprowadzało go do szaleństwa z niepokoju.

Matka zawiozła Olivię na lotnisko w czwartkowe popołudnie, kilka dni po jej rozstaniu z Andym. Był już późny sierpień, Peter z rodziną wciąż przebywali na Vineyard. Janet Douglas wsadziła córkę do samolotu i stała na pasie, dopóki ten nie wystartował. Chciała mieć pewność, że Olivia jest bezpieczna i naprawdę wyjechała. Jej zdaniem, córka unikała dzięki temu losu gorszego niż śmierć; ogarnęła ją ulga, gdy samolot uniósł się w powietrze i skierował ku Paryżowi.

– Z Bogiem, Olivio – szepnęła z nadzieją, że córka długo nie wróci do Stanów. Czekało tu na nią zbyt wiele bólu, za dużo wspomnień, za dużo zepsutych, samolubnych mężczyzn, którzy chcieli ją tylko skrzywdzić. Janet cieszyła się, że Olivia wróciła do Francji. Gdy samolot zniknął jej z oczu, dała znak swoim ochroniarzom, po czym z westchnieniem powoli opuściła lotnisko. Olivia była bezpieczna.

Rozdział 10

Z upływem sierpnia nadchodziło coraz więcej faksów relacjonujących postępy w badaniach nad Vicotekiem, a napięcie pomiędzy Peterem a jego teściem rosło. Przed weekendem Święta Pracy stało się wyczuwalne nawet dla chłopców.

– Co się dzieje pomiędzy dziadkiem a tatą? – zapytał Paul w sobotnie popołudnie.

Kate zmarszczyła brwi, szukając odpowiedzi.

– Twój ojciec robi trudności – odparła cicho; nawet jej syn rozumiał, że za tę sytuację wini Petera.

– Pokłócili się? – Paul był już na tyle duży, by to rozumieć, matka była wobec niego zazwyczaj szczera, choć „kłótnie" rzadko zakłócały ich życie rodzinne. Wiedział jednak, że od czasu do czasu ojciec i dziadek nie zgadzali się co do pewnych kwestii.

– Pracują nad nowym produktem – odparła Katie krótko, choć kwestia była o wiele bardziej skomplikowana, z czego zdawała sobie sprawę.

Wielokrotnie prosiła Petera, by odpuścił ojcu. Frank przepracował całe lato, a w jego wieku nie było to korzystne. Choć nawet ona musiała przyznać, że wygląda lepiej niż kiedykolwiek. Miał siedemdziesiąt lat i wciąż grywał w tenisa godzinę dziennie, a każdego ranka przepływał półtora kilometra.

– Och – mruknął Paul usatysfakcjonowany jej wyjaśnieniem. – W takim razie to nic wielkiego. – Wielomilionowe koszty zbył z niefrasobliwością szesnastolatka.

Tego wieczoru wszyscy szli na wielkie przyjęcie, by uczcić koniec lata. Zaprosili wielu przyjaciół, za dwa dni opuszczali wyspę. Patrick i Paul wracali do szkoły, Mike wyjeżdżał do Princeton. W poniedziałek przenosili się do Greenwich.

Kate miała masę pracy, musiała zamknąć swój dom i dom ojca na wyspie. Właśnie składała ubrania, gdy do pokoju wszedł Peter i zaczął się jej przyglądać. Dla niego lato nigdy się nie rozpoczęło. Podwójny cios w postaci realnej utraty Vicotecu i rezygnacji z Olivii zaledwie chwilę po tym, jak się spotkali, był dla niego agonią przez cały sierpień. Obawy o los leku popsuły atmosferę wakacji, nie pomógł też stały nacisk wywierany przez Franka ani uparte ingerencje Kate w coś, co nie było jej sprawą. Za bardzo się angażowała w to, co się działo między Peterem a Frankiem, zbyt mocno pragnęła chronić ojca. Bez wątpienia to, co przeżył Peter we Francji, również miało wpływ na ich związek. Nie chciał tego. Był zdeterminowany, by wrócić i podjąć życie w momencie, w którym wyjechał, lecz okazało się to niemożliwe. Francja była niczym widok z otwartego okna, które po chwili zabito deskami. Nadal stał w tym samym miejscu i wpatrywał się w pustą ścianę, pamiętając, co widział, choć tylko przelotnie. Związek z Olivią okazał się niezapomniany i choć tego nie planował, wiedział, że odmienił jego życie na zawsze. Nie chciał niczego zmieniać, nigdzie się nie wybierał. Nie kontaktował się z nią. Telefonował jedynie do szpitala po jej wypadku i wysłuchiwał raportów o jej zdrowiu od pielęgniarki z intensywnej terapii. Nie mógł jednak o niej zapomnieć. Jej wypadek go przeraził, to, że o włos uniknęła śmierci, wydawało mu się potworną karą. Dlaczego los karał ją, a nie jego? Dlaczego to Olivia została ukarana?

– Przykro mi, że lato nie było udane – oświadczył smutnym głosem, siadając na łóżku.

Katie odkładała swetry do kartonów z kulkami na mole.

– Nie było tak źle – odparła z sympatią, zerkając na niego przez ramię ze szczytu niskiej drabiny.

– Dla mnie było – przyznał szczerze. Przez całe lato był nieszczęśliwy. – Miałem wiele na głowie – dodał tytułem wyjaśnienia.

Katie znów się uśmiechnęła. Po chwili spoważniała. Pomyślała o ojcu.

– Dla mojego ojca również. Jemu również nie było łatwo.

Kate miała na myśli tylko Vicotec. Peter myślał o wyjątkowej kobiecie, którą poznał w Paryżu. Olivia sprawiła, że jego powrót do domu, do Kate, okazał się niebywale trudny. Kate była niezależna i chłodna, gotowa do funkcjonowania bez niego. Niczego już nie robili razem poza okazjonalnymi wizytami u przyjaciół i graniem w tenisa z jej ojcem. Peter pragnął czegoś więcej. Miał czterdzieści cztery lata i marzył o bliskości. Pragnął więzi, otuchy, przyjaźni i podekscytowania. Chciał się do niej tulić i czuć przy sobie jej ciepło. Chciał, by go pragnęła. Znał jednak Katie od dwudziestu czterech lat, niewiele zostało pomiędzy nimi romantycznych uczuć. Darzyli się sympatią, szacunkiem, łączyło ich wiele różnych spraw, lecz nie odczuwał dreszczu emocji, gdy się obok niego kładła, a gdy go poczuł, ona zazwyczaj szła zadzwonić, wychodziła na spotkanie albo umawiała się z ojcem. Przegapiali każdą okazję, by się kochać, by cieszyć się samotnością we dwoje, śmiać się razem, usiąść i porozmawiać. A on za tym tęsknił. Olivia pokazała mu wyraźnie, czego mu brakuje. W zasadzie nigdy nie łączyło go z Katie to, co połączyło go z Olivią. Przy Olivii czuł uderzające do głowy podniecenie, które zapierało mu dech w piersiach. Życie z Katie przypominało od początku przygotowania do balu maturalnego. Z Olivią było to wyjście na bal z księżniczką z bajki. Uznał to porównanie za śmieszne, roześmiał się, gdy o tym pomyślał, i dopiero po chwili dostrzegł, że Katie się w niego wpatruje.

– Z czego się śmiejesz? Właśnie powiedziałam, że ojcu również było trudno.

Nie usłyszał ani jednego z jej słów. Śnił na jawie o Olivii Thatcher.

– To cena, jaką się płaci za prowadzenie firmy takiej jak nasza – odparł rzeczowo. – To wielki ciężar i ogromna odpowiedzialność, nikt nigdy nie mówił, że będzie łatwo. – Był już zmęczony słuchaniem o jej ojcu. – Nie o tym myślałem. Może wyjedziemy razem? Musimy uciec na jakiś czas. – Nie odpoczął na Martha's Vineyard tak jak w poprzednich latach. – Może polecimy do Włoch? Albo na Karaiby? Hawaje? – Byłoby to odmienne i ekscytujące, może tchnęłoby nieco życia w ich małżeństwo.

– Teraz? Dlaczego? Już wrzesień. Mam milion rzeczy do zrobienia, ty również. Muszę wyprawić chłopców do szkół, za tydzień odwozimy Mike'a do Princeton.

Spojrzała na niego jak na szaleńca, lecz postanowił się nie poddawać. Po tych wszystkich latach musiał chociaż spróbować utrzymać ten związek.

– W takim razie zróbmy to, gdy już wyprawimy dzieci do szkół. Nie miałem na myśl wyjazdu dzisiaj, może za kilka tygodni. Co o tym sądzisz? – Zerknął na nią z nadzieją, gdy schodziła z drabiny; pragnął czuć do niej więcej, niż czuł. O agonię przyprawiała go myśl, że to niemożliwe. Może wycieczka na Karaiby to zmieni.

– Masz się stawić przed komisją FDA we wrześniu. Nie musisz się do tego przygotować?

Nie powiedział jej, że niezależnie od tego, co zrobi jej ojciec, nie miał zamiaru tam jechać ani pozwolić na to Frankowi. Nie mogli złożyć fałszywych zeznań w oparciu o nikłą szansę, że wszystkie problemy zostaną rozwiązane, zanim Vicotec trafi na rynek.

– Zostaw to mnie – mruknął tylko – powiedz, kiedy możesz wyjechać, a ja wszystko załatwię. – Jedynym jego zaplanowanym na wrzesień spotkaniem było przesłuchanie przed Kongresem w sprawie cen, na które ostatecznie zgodził się pojechać. Wiedział jednak, że jeśli będzie musiał, zdoła to przełożyć. Była to raczej kwestia uprzejmości i prestiżu niż sprawa gardłowa. Małżeństwo było dla niego o wiele ważniejsze.

– Mam w tym miesiącu spotkanie zarządu – napomknęła Katie wymijająco, otwierając kolejną szufladę ze swetrami.

Przyglądając się jej przy pracy, nagle zaczął się zastanawiać, co naprawdę pragnie mu przez to powiedzieć.

– Wolałabyś nie jechać? – Jeśli tak wyglądała prawda, musiał to wiedzieć. Może ją również coś niepokoiło? Nagle uderzyła go pewna myśl. A jeśli i ona miała romans? Może zakochała się w kimś innym? Czyżby go unikała? Jej też mogło się to przecież przydarzyć, choć wcześniej nie przyszło mu to do głowy. Poczuł się śmiesznie, gdy uświadomił sobie, że ona jest równie podatna na takie przygody jak on. Wciąż była atrakcyjna, stosunkowo młoda, pociągała wielu mężczyzn. Nie miał pojęcia, jak ją zapytać, czy o to właśnie chodzi. Zawsze była dosyć chłodna i pruderyjna, bezpośrednie poruszenie tej kwestii było więc niemożliwe. Zamiast tego zmrużył powieki i spojrzał na nią, gdy dorzucała kolejne kulki na mole do pudła ze swetrami. – Jest jakiś powód, dla którego nie chcesz ze mną pojechać? – zapytał tak otwarcie, jak tylko był w stanie.

W końcu podniosła głowę i udzieliła odpowiedzi, która niepomiernie go zirytowała.

– Myślę, że byłoby to nieuczciwe wobec ojca. Martwi się sprawą Vicotecu. Ma wiele na głowie. Postąpilibyśmy bardzo samolubnie, gdybyśmy pojechali wylegiwać się na plaży, a jego zostawili w biurze z masą problemów.

Z niejakim trudem Peter zdołał ukryć swój gniew. Miał już dość zważania na Franka. Robił to przez osiemnaście lat.

– Może teraz potrzeba nam odrobiny egoizmu – oświadczył. – Nie martwi cię, że od osiemnastu lat jesteśmy małżeństwem i rzadko zwracamy uwagę na siebie nawzajem, na nasze potrzeby, nasz związek? – Próbował jej coś przekazać, nie wzbudzając przy tym zbyt wielu pytań.

– Co chcesz powiedzieć? Znudziłam ci się i musisz zobaczyć mnie gdzieś na plaży, by dodać trochę pieprzu naszemu małżeństwu? – Odwróciła się i spojrzała na niego, a on przez chwilę nie był pewien, jak na to odpowiedzieć. Zbliżyła się do prawdy bardziej, niż ośmieliłby się to przyznać.

– Po prostu myślę, że miło byłoby uciec od ojca, od dzieci, od automatycznej sekretarki, spotkań zarządu, a również od Vicotecu. Nawet tutaj wciąż przeszkadzają nam faksy, mnie przeszkadzają, czuję się tak, jakbym przebywał w biurze z piaskiem. Chciałbym z tobą wyjechać gdzieś, gdzie nikt nie będzie nam przeszkadzał, gdzie będziemy mogli porozmawiać, przypomnieć sobie, za czym tak szaleliśmy, gdy się poznaliśmy i kiedy braliśmy ślub.

Uśmiechnęła się do niego. Zaczynała rozumieć.

– Myślę, że przeżywasz kryzys wieku średniego. Denerwujesz się przesłuchaniem przed komisją FDA, pragniesz od tego uciec i wykorzystujesz do tego mnie. Cóż, zapomnij o tym, młody człowieku. Poradzisz sobie. Potrwa to jeden dzień, a potem wszyscy będziemy z ciebie dumni.

Uśmiechała się, gdy to mówiła, a Peter czuł ucisk w sercu. Niczego nie rozumiała, nawet tego, że pragnie od niej czegoś, czego nie dostaje, ani że nie ma zamiaru stawić się przed komisją. Planował tylko wystąpić przed Kongresem w sprawie cen.

– To nie ma nic wspólnego z FDA – oświadczył stanowczo, siląc się na spokój. Nie zamierzał znów dyskutować z nią o przesłuchaniach. Dosyć już się o nich nasłuchał od jej ojca. – Mówię o nas, Kate. Nie o przesłuchaniach.

Wtedy przerwał im jeden z chłopców. Mike potrzebował kluczyków do samochodu, a Patrick przyjmował dwóch kumpli na dole i chciał wiedzieć, czy jest jeszcze mrożona pizza, bo umierają z głodu.

– Właśnie miałam jechać do sklepu! – zawołała do nich Kate, pozbawiając siebie i męża okazji do rozmowy. Odwróciła się i spojrzała na niego przez ramię, wychodząc z sypialni. – Nie martw się, wszystko będzie dobrze.

Peter przez długi czas siedział na łóżku, czując pustkę. Przynajmniej spróbował. Jego wysiłki na nic się jednak nie zdały, była to więc marna pociecha. Kate nie miała pojęcia, o czym mówił, jedyne, na czym potrafiła się skupić, to jej ojciec i przesłuchania.

Frank znów o nich wspomniał na przyjęciu. Peter czuł się tak, jakby słuchał zdartej płyty, robił, co mógł, by zmienić temat. Frank przekonywał go, by był „dobrym chłopcem" i przez jakiś czas „pozwalał się nieść wydarzeniom". Frank żywił przekonanie, że ekipy badawcze znajdą wszystkie błędy w Vicotecu, zanim lek trafi do sprzedaży, a firma straci twarz i ważną część rynku, jeśli wycofają prośbę o szybką ścieżkę. Jego zdaniem, byłaby to czerwona flaga sygnalizująca branży, że ich produkt ma poważne problemy.

– Będziemy walczyć z tym piętnem przez długie lata. Przecież wiesz, co się dzieje, gdy zaczynają się takie plotki. To mogłoby splamić opinię o Vicotecu na zawsze.

– Musimy podjąć to ryzyko, Frank – odparł Peter, trzymając w dłoni drinka. Litanię tę już od dawna znał na pamięć, obaj wręcz okopali się na przeciwstawnych pozycjach.

Gdy tylko nadarzyła się okazja, zostawił teścia, a chwilę później zauważył, że Frank rozmawia z Katie. Domyślał się o czym, ten widok go przygnębił. Wiedział, że żona nie rozmawia z ojcem o urlopie, który jej zaproponował. Uznał, że ten akurat pomysł nigdy niczym nie zaowocuje. Nie wspominał już o tym tego wieczoru. A przez następne dwa dni byli zajęci zamykaniem domu. W zimie nie użytkowali go, mieli do niego wrócić dopiero następnego lata.

W drodze do miasta chłopcy rozmawiali o powrocie do szkoły. Paul nie mógł się już doczekać spotkania z przyjaciółmi w Andover, Patrick chciał jesienią odwiedzić Choate i Groton. Mike mówił tylko o Princeton. Jego dziadek skończył tę uczelnię, chłopak przez całe życie słuchał opowieści o klubach studenckich i zlotach rocznicowych.

– Szkoda, że ty tam nie chodziłeś, tato. To brzmi super.

Dyplom ukończenia studiów wieczorowych na Uniwersytecie Chicago nie mógł się równać z papierem z Princeton.

– Jestem pewien, że to superuczelnia, synu, lecz gdybym tam studiował, nigdy nie poznałbym waszej matki – powiedział, wspominając ich pierwsze spotkanie na Uniwersytecie Michigan.

– To fakt – odparł Mike z uśmiechem.

Chciał dołączyć do klubu dziadka, gdy tylko mu na to pozwolą. Musiał odczekać rok, lecz zamierzał w międzyczasie poznać inne bractwa. Wszystko już zaplanował, sprawy zaczynały się dobrze układać. Mówił o tym przez całą drogę do Nowego Jorku, przez co Peter czuł się wykluczony i w jakiś sposób samotny. To dziwne, że był jednym z nich przez osiemnaście lat, a jednak czasami czuł się jak outsider, nawet przebywając z własnymi dziećmi.

Jechali na południe, nikt go nie zagadywał, zaczął więc myśleć o Olivii. Przypomniał sobie ich rozmowę na Montmartrze pierwszego wieczoru i spacery na plaży w La Favière. Tak wiele miał jej do powiedzenia, tak wiele prowokowała u niego myśli. Niemal zderzył się z innym samochodem, śniąc o niej na jawie. Wszyscy zaczęli krzyczeć, gdy w ostatniej chwili skręcił kierownicą, by uniknąć kolizji.

– Boże, co ty wyprawiasz, tato?! – Mike nie mógł uwierzyć w to, co się właśnie wydarzyło.

– Przepraszam!

Od tej pory jechał nieco ostrożniej. Olivia dała mu coś, czego nie dał mu nikt inny. Przypomniał sobie, jak przekonywała go, że wszystkie osiągnięcia zawdzięcza samemu sobie, a nie Donovanom, w co trudno było uwierzyć zwłaszcza jemu. Wydawało mu się takie oczywiste, że to wszystko zasługa Katie i jej ojca.

Zaczął się zastanawiać, gdzie jest teraz Olivia, czy plotki o jej pobycie w szpitalu to prawda. Uznał to za podejrzane. Był przekonany, że to jedna z tych historii-przykrywek dla separacji, romansu lub liftingu twarzy, a wiedział, że w jej przypadku ostatnie dwie opcje są mało prawdopodobne. Zaczął się zastanawiać, czy nie zostawiła przypadkiem Andy'ego pomimo jego startu w wyścigu prezydenckim. Była to typowa zagrywka Andy'ego – rozgłosić, że żona oszalała.

Dwa dni później przekonał się, że miał rację, gdy na jego adres biurowy przyszła pocztówka. Leżała na jego biurku, gdy wrócił z lunchu. Przedstawiała małą łódkę rybacką, miała znaczek z La Favière.

Na odwrocie napisała zagadkowo drobnym charakterem pisma: „Znów tu jestem. Piszę. Nareszcie. Skończyłam z uciekaniem. Nie mogłam tego dłużej ciągnąć. Mam nadzieję, że u ciebie wszystko w porządku. Nie zapominaj, jaki jesteś odważny. To wszystko twoja zasługa. Ty to osiągnąłeś. Do tego trzeba więcej odwagi niż do uciekania, co ja wybrałam. Jestem jednak szczęśliwa. Dbaj o siebie. Z wyrazami miłości". Podpisała się znakiem zapytania. Potrafił jednak czytać pomiędzy wierszami. Wciąż pamiętał jej ochrypły głos, gdy wyznawała mu miłość. Wiedział, że nadal go kocha, tak jak on kochał ją. Zawsze będzie ją kochać. Na zawsze zachowa ją w swym sercu i wspomnieniach.

Przeczytał tekst pocztówki jeszcze raz, z namysłem. Olivia była o wiele silniejsza, niż myślała. To odejście wymagało prawdziwej odwagi, nie tak jak pozostanie, na co zdecydował się on. Podziwiał ją. Cieszył się, że udało się jej uciec od życia, które wiodła. Miał nadzieję, że jest szczęśliwa i odnalazła spokój. Był pewien, że jej książka okaże się wspaniała. Olivia była taka odważna w uczuciach, taka zdeterminowana, by być tym, kim chce, by mówić to, co myśli. Od razu docierała do sedna, tak jak w jego przypadku. Nic nie mogło się przed nią ukryć, wyczuwała fałsz. Była kobietą, która żyje prawdą, niezależnie od kosztów. Ona też szła na kompromisy, przyznała się do tego. Skończyła z tym jednak. Olivia była już wolna, a on jej zazdrościł; schował pocztówkę z nadzieją, że nikt inny jej nie widział.

Wyniki badań Vicotecu nadeszły następnego dnia, okazały się lepsze, niż oczekiwał, lecz w kontekście szybkiego wypuszczenia leku na rynek były katastrofalne, co dobrze wiedział. Potrafił je już interpretować jak profesjonalista, wiedział, co oznaczają, tak jak ojciec Katie. Umówili się na spotkanie w piątek, by je dokładnie omówić, w sali konferencyjnej obok gabinetu Franka o drugiej. Frank czekał już na niego z poważną miną, przewidywał, co Peter powie. Nie tracili czasu na pogawędki, zamienili tylko kilka słów na temat Mike'a. Peter i Katie odwozili go następnego ranka do Princeton, a Frank był wyraźnie dumny z wnuka. Szybko przeszli jednak do rzeczy.

– Obaj wiemy, dlaczego się tu znaleźliśmy, prawda? – zagaił Frank, patrząc Peterowi głęboko w oczy. – Wiem, że się ze mną nie zgadzasz – dodał z wahaniem. Całe jego ciało napięło się ze zdenerwowania, wyglądał jak gotowa do ataku kobra. Peter poczuł się jak jego ofiara, był gotów bronić siebie i integralności firmy, lecz Frank to przewidział i miał już odpowiedź. – Myślę, że będziesz musiał w tej kwestii zaufać memu osądowi. Już to przerabiałem. Jestem w branży od prawie pięćdziesięciu lat i musisz mi wierzyć na słowo, gdy ci mówię, że wiem, co robię. Przesłuchanie przed komisją teraz nie jest błędem. Zanim oficjalnie wypuścimy produkt na rynek, będziemy gotowi. Nie ryzykowałbym, gdybym nie był pewien, że damy sobie radę.

– A jeśli się mylisz? Jeśli kogoś zabijemy? Choćby jedną osobę... jednego mężczyznę, kobietę lub dziecko... co wtedy? Co powiemy? Jak będziemy żyć? Chcesz aż tak ryzykować, występując o szybką ścieżkę?

Był niczym głos sumienia, lecz Frank uważał go za czarnowidza, oskarżył go, że zachowuje się jak strachliwa stara baba, zupełnie jak „ten idiota z Paryża".

– Suchard zna się na tym, Frank. Zatrudniliśmy go, by mówił nam prawdę. Nawet jeśli dostarczy złych wieści, których nie chcemy słuchać. Wiem, że on już nie ma nic do powiedzenia w tej kwestii, lecz otworzyliśmy puszkę Pandory, której nie możemy zignorować. Dobrze to wiesz.

– Nie nazwałbym dziesięciu milionów dolarów wydanych w ostatnich dwóch miesiącach na dodatkowe badania „ignorowaniem tego", Peterze. Niczego strasznego nie odkryliśmy. Musisz zrozumieć, że Suchard sprowokował nas do polowania na czarownice... gorzej nawet, do uganiania się za wiatrem w polu. Niczego tam nie ma. Mówimy o składniku, który „mógłby" wejść w niepożądaną reakcję i „mógłby" wywołać serię wyjątkowo rzadkich powikłań w jednym przypadku na milion przy założeniu, że wszystko ułoży się niekorzystnie. Na litość boską, sam powiedz, czy to brzmi dla ciebie rozsądnie? Do diabła, możesz wziąć dwie aspiryny, popić alkoholem i efekty też nie będą pozytywne. O co ci chodzi?

– Dwie aspiryny popite alkoholem nikogo nie zabiją. Vicotec może, jeśli nie będziemy ostrożni.

– Przecież jesteśmy ostrożni. O to właśnie chodzi. Z zażyciem każdego leku wiąże się ryzyko, każdy ma skutki uboczne, negatywne działanie. Jeśli nie jesteśmy w stanie z tym żyć, równie dobrze możemy zamknąć interes i zacząć sprzedawać watę cukrową na odpustach. Na litość boską, Peter, przestań mi się sprzeciwiać, bądź rozsądny. Chcę, byś zrozumiał, że cię w tej sprawie przegłosuję. Sam stanę przed komisją, jeśli będę musiał, i chcę, byś wiedział dlaczego. Chcę, byś wiedział, że wierzę, iż Vicotec naprawdę jest bezpieczny, postawiłbym na to własne życie! – dokończył z krzykiem.

Poczerwieniał na twarzy, był zdenerwowany, mówił coraz głośniej i głośniej, gdy siedzieli w sali konferencyjnej, a Peter go obserwował. Nagle uświadomił sobie, że Frank się trzęsie. Był do głębi poruszony, pocił się, poszarzał na twarzy, urwał na chwilę, by napić się wody.

– Dobrze się czujesz? – zapytał Peter cicho, nie odrywając od niego wzroku. – Nie warto, byś stawiał na to życie. O tym właśnie mówię. Musimy podejść do sprawy naukowo i ze spokojem. To tylko produkt, Frank, nic więcej. Pragnę go udostępnić do sprzedaży bardziej niż ktokolwiek inny, lecz w ostatecznym rozrachunku albo zadziała, albo nie; może zadziałać, jeśli poświęcimy mu trochę więcej czasu. Nikt nie chce wypuścić go na rynek tak mocno jak ja, lecz nie za wszelką cenę, nie, dopóki istnieje choć jeden czynnik ryzyka. A istnieje. Obaj to wiemy. Widzieliśmy dowody. Dopóki go nie poprawimy, nie możemy pozwolić, by ktokolwiek go używał. To proste. – Mówił zwięźle i jasno, im bardziej denerwował się Frank, tym większy ogarniał go spokój.

– Nie, Peter, nie... to nie jest proste! – ryknął Frank; irytujący spokój zięcia tylko wzmagał jego gniew. – Czterdzieści siedem milionów dolarów w cztery lata to nic prostego. Jak myślisz, ile jeszcze pieniędzy w to włożymy, na litość boską? Ile pieniędzy jeszcze mamy, twoim zdaniem? – Stawał się nieprzyjemny, lecz Peter nie złapał przynęty.

– Tyle, by zrobić to dobrze, mam nadzieję, a jeśli nie, zrezygnujemy. Pozostaje jeszcze ta opcja.

– Nie ma mowy, do diabła! – Frank zerwał się na równe nogi. – Myślisz, że tak po prostu wyrzucę pięćdziesiąt milionów dolarów przez okno? Chyba oszalałeś! Myślisz, że czyje to pieniądze? Twoje? Cóż, zastanów się. Są moje, firmy i Katie, prędzej trafi mnie szlag, niż pozwolę ci dyktować, co mam robić. Nie byłoby cię tutaj, gdybym cię nie kupił dla mojej córki.

Jego słowa uderzyły Petera niczym pałka, odebrały mu oddech, nagle przypomniał sobie słowa swego ojca sprzed osiemnastu lat, które usłyszał przed ślubem z Katie. „Już zawsze będziesz dla nich najemnym robotnikiem, jeśli się z nią ożenisz, synu... nie rób tego". Jednak to zrobił, i proszę. Tak właśnie o nim myśleli po osiemnastu latach.

On także wstał. Gdyby Frank Donovan był parę lat młodszy i nieco mniej szalony, byłby go uderzył.

– Nie będę tego słuchać – powiedział.

Cały się trząsł, powstrzymując się przed wymierzeniem ciosu, lecz Frank się nie poddawał. Chwycił Petera za ramię i krzyczał dalej:

– Wysłuchasz wszystkiego, co mam ci do powiedzenia, do diabła, i zrobisz to, co ci każę! I nie patrz na mnie w ten świętoszkowaty sposób, sukinsynu. Mogła mieć każdego, lecz chciała ciebie, więc uczyniłem cię tym, kim jesteś, żeby nie musiała się wstydzić. Bez nas jesteś nikim, słyszysz, nikim. Zaczynasz ten cały cholerny projekt, kosztujesz nas miliony, składasz obietnice, widzisz tęczę, a gdy pojawia się mały problem, który znajduje jakiś francuski idiota, dźgasz nas w plecy i chcesz biec, piszcząc jak mała świnia, do FDA. Cóż, pozwól, że ci coś powiem: prędzej umrę, niż ci na to pozwolę!

Gdy tylko wypowiedział te słowa, chwycił się za pierś i zaczął gwałtownie kaszleć. Jego twarz była tak czerwona, że niemal purpurowa, nie mógł złapać tchu. Chwycił Petera za oba ramiona, a Peter podtrzymał go, gdy zaczął upadać.

Przez chwilę nie mógł uwierzyć w to, co się dzieje, lecz szybko się otrząsnął. Ułożył go na podłodze i zadzwonił pod 911, by podać im szczegóły. Frank zaczął wymiotować, nadal zanosił się kaszlem; gdy tylko Peter odłożył słuchawkę, ukląkł obok niego, przewrócił go na bok i próbował podtrzymywać. Frank wciąż oddychał, lecz czynił to z wielkim trudem, był ledwie przytomny, a Peter nadal przeżywał to, co teść mu powiedział. Nie wiedział, że Frank ma w sobie na tyle jadu, by mogło go to zabić. Co by powiedziała Katie, gdyby teraz umarł? Obwiniłaby Petera, powiedziałaby, że to jego wina, bo robił trudności i sprzeciwiał się w sprawie Vicotecu. Nie wiedziałaby jednak o okropnych rzeczach, które ojciec powiedział jej mężowi, o niewybaczalnych uwagach, którymi go poczęstował. Peter czuł, że niezależnie od tego, co się jeszcze wydarzy, nigdy mu tego nie zapomni ani nie wybaczy. Nie były to bowiem obelgi będące wynikiem napadu złości, lecz głęboko ukryta, paskudna broń, którą teść doskonalił od lat, by któregoś dnia jej użyć. Przeszył go nimi niczym sztyletem i Peter wiedział, że nigdy mu tego nie zapomni.

W końcu zjawili się ratownicy medyczni, zajęli się Frankiem, a Peter wstał i cofnął się. Jego ubrania były poplamione wymiotami, sekretarka Franka stała w drzwiach pogrążona w histerii. Ludzie kręcili się w korytarzu, jeden z ratowników spojrzał na Petera i pokręcił głową. Teść właśnie przestał oddychać. Ratownicy wyjęli defibrylator, rozerwali jego koszulę, do środka wpadło pół tuzina strażaków. Wyglądało to jak jakiś zjazd, wszyscy klęczeli nad Frankiem i próbowali go ocalić przez pół godziny, a Peter przyglądał się im, zastanawiając się, co powie Katie. Stracił już wszelką nadzieję, gdy ratownicy poprosili strażaków o nosze. Serce Franka podjęło pracę, nieregularnie, lecz defibrylator nie był już potrzebny; stary Donovan zaczął też oddychać. Spojrzał na Petera zapuchniętymi oczami w masce tlenowej na twarzy, nic nie powiedział, a Peter dotknął jego dłoni, gdy ratownicy go mijali. Znieśli Franka do karetki, Peter polecił sekretarce, by powiadomiła lekarza pana Donovana. Na Franka czekała już ekipa kardiologów w New York Hospital. O włos uniknął śmierci.

– Dojadę do was – poinformował Peter ratowników, po czym pobiegł do łazienki, by sprawdzić, czy da się uratować spodnie i marynarkę. Trzymał w szufladzie czystą koszulę, lecz nic więcej. Nawet buty miał pokryte wymiocinami Franka. Jeszcze bardziej splamiony czuł się jadem, który wylał na niego teść tuż przed atakiem. Jego zjadliwość była tak zażarta, że niemal go zabiła.

Pięć minut później Peter wyszedł z łazienki w czystej koszuli, spodniach, które zdołał jakoś oczyścić, swetrze i czystych butach. Poszedł do biura, by zadzwonić do Katie. Na szczęście była w domu, właśnie miała wychodzić, by załatwić sprawunki. Gdy podniosła słuchawkę, Peter niemal zadławił się słowami. Nie wiedział, jak jej to powiedzieć.

– Katie... ja... cieszę się, że jesteś w domu.

Zapragnęła zapytać go dlaczego; zachowywał się w ostatnim czasie tak osobliwie, był spragniony uczuć i przygnębiony. Parę tygodni temu cały czas siedział przed telewizorem, a potem nawet go nie włączał. Przez kilka dni miał prawdziwą obsesję na punkcie CNN i wpadł na ten dziwny pomysł z wakacjami.

– Coś się stało? – Zerknęła na zegarek. Wciąż miała masę rzeczy do zrobienia przed wyjazdem Mike'a do Princeton rankiem. Potrzebował dywanu do swego pokoju, zamierzała mu też kupić narzutę na łóżko. Ton męża głęboko ją zaniepokoił.

– Tak... stało się... Katie, już jest dobrze, lecz chodzi o twojego ojca.

Wstrzymała oddech, gdy to usłyszała.

– Miał atak serca w swoim biurze. – Nie dodał, że Frank otarł się o śmierć ani że jego serce na kilka sekund przestało bić. – Zabrali go właśnie do New York Hospital, ja też tam jadę. Myślę, że powinnaś przyjechać najszybciej, jak to możliwe. Nie czuje się najlepiej.

– Ale nic mu nie będzie? – Jej głos brzmiał tak, jakby świat nagle przestał istnieć, i przez jedną okropną chwilę Peter zastanawiał się, czy tak samo zareagowałaby, gdyby chodziło o niego. Czy Frank miał rację? Czy był tylko zabawką, którą kupili i za którą zapłacili?

– Myślę, że nic mu nie będzie. Przez chwilę nie wyglądało to dobrze, ale ratownicy świetnie sobie poradzili. Przyjechała karetka i straż pożarna. – W biurze był jeszcze policjant, który wszystkich uspokajał i przepytywał sekretarkę Franka, choć ta nie potrafiła powiedzieć, co dokładnie się wydarzyło. Chcieli jeszcze porozmawiać z Peterem, lecz sytuacja była dosyć jasna. Nagle Peter uświadomił sobie, że żona płacze. – Spokojnie, kochanie. Nic mu nie jest. Po prostu uważam, że powinnaś go odwiedzić. – Ogarnęły go wątpliwości, czy będzie w stanie prowadzić. Nie chciał, by spowodowała wypadek, jadąc z Greenwich. – Czy jest Mike?

Załkała, że go nie ma. Syn mógłby odwieźć matkę, gdyby był w domu. Paul miał prawo jazdy od niedawna i nie był na tyle dobrym kierowcą, by przebyć tak długą trasę.

– Może ktoś z sąsiadów cię przywiezie?

– Sama przyjadę – odparła, płacząc. – Co się stało? Wczoraj czuł się dobrze. Cieszy się dobrym zdrowiem.

Owszem, były też jednak inne czynniki.

– On ma siedemdziesiąt lat, Kate, a w ostatnim czasie żył pod dużą presją.

Przestała płakać i zapytała twardym tonem:

– Znów posprzeczaliście się o przesłuchania? – Wiedziała, że mieli się spotkać w tej sprawie.

– Omawialiśmy to. – Wydarzyło się więcej. Frank miotał na niego obelgi, Peter nie chciał jednak mówić o tym Katie. Słowa jej ojca zbyt go zraniły, by chciał je powtarzać. Gdyby Frank umarł, Peter nie chciał, by Kate wiedziała, co zaszło pomiędzy nimi.

– To musiało być coś więcej niż „omawianie", skoro miał atak serca – oświadczyła oskarżycielskim tonem.

Nie zamierzał tracić czasu na kłótnie przez telefon i to właśnie jej powiedział.

– Myślę, że powinnaś przyjechać. Porozmawiamy o tym później. Leży na kardiologii, na intensywnej terapii – oznajmił obcesowo, a ona znów zaczęła płakać. Nie mógł znieść myśli, że będzie prowadzić w tym stanie. – Jadę tam teraz. Zadzwonię do ciebie, jeśli coś się zmieni. Nie wyłączaj telefonu.

– Oczywiście – odparła z urazą w głosie, wycierając nos. – Tylko nie mów niczego, co mogłoby go zdenerwować.

Frank nie słyszał jednak nikogo, gdy Peter dotarł do szpitala dwadzieścia minut później. Najpierw musiał porozmawiać z policją, potem podpisał formularze zostawione przez ratowników, aż w końcu utknął w korku nad East River. Zanim dotarł na oddział, Frank był już pod wpływem silnych leków uspokajających. Trafił pod obserwację, jego twarz nie była już czerwona, lecz szara. Włosy miał zmierzwione, nikt nie starł wymiotów z jego podbródka, jego nagą pierś pokrywały przewody i czujniki. Podłączono go do pół tuzina aparatów, wyglądał na bardzo chorego i o wiele starszego niż godzinę temu. Lekarz szczerze powiedział Peterowi, że zagrożenie jeszcze nie minęło. Atak serca był rozległy, nadal istniało ryzyko migotania komór. Kolejna doba miała okazać się kluczowa. Nietrudno było w to uwierzyć, patrząc na Franka. Niewiarygodny wydawał się natomiast fakt, że dwie godziny temu Frank wyglądał naprawdę młodzieńczo i zdrowo, gdy Peter wszedł do jego gabinetu.

Peter czekał na Kate w lobby na dole, zamierzał ją ostrzec, zanim wyjdzie na górę. Miała na sobie dżinsy i podkoszulek, rozczochrane włosy i wyraz dzikiej paniki w oczach, gdy jechała z nim windą.

– Jak się czuje ojciec? – zapytała po raz piąty, odkąd przyjechała do szpitala. Była całkowicie rozbita i wyjątkowo jak na nią nieobecna.

– Zobaczysz. Uspokój się. Myślę, że wygląda o wiele gorzej, niż się czuje.

Aparatura, do której był podłączony Frank, sprawiała przerażające wrażenie, Donovan wyglądał raczej jak ciało, nad którym pracowano, niż jak pacjent. Katie w ogóle nie była przygotowana na to, co zobaczyła, gdy weszła na oddział. Od razu zaniosła się szlochem, musiała przełykać łzy, gdy stanęła obok łóżka i uścisnęła dłoń Franka. Otworzył oczy i rozpoznał ją, po czym znów odpłynął w wywołany lekami sen. Lekarze chcieli, by przez następne parę dni jak najwięcej odpoczywał, w nadziei, że to zwiększy jego szanse.

– O, mój Boże – powiedziała, niemal omdlewając w ramionach Petera, gdy opuściła salę. Musiał szybko posadzić ją na krześle, a pielęgniarka przyniosła jej szklankę wody. – Nie mogę w to uwierzyć.

Płakała przez kolejne pół godziny, a Peter siedział przy niej. Lekarz, który się w końcu pojawił, oświadczył, że Frank ma pięćdziesiąt procent szans na przeżycie.

Jego słowa wywołały u Kate histerię, resztę popołudnia spędziła, płacząc, na krześle przed salą i odwiedzając ojca co pół godziny na pięć minut, gdy jej na to pozwalano. Przez większość czasu Frank był nieprzytomny. Pod koniec dnia Peter zaczął ją namawiać, by wyszła z oddziału i coś zjadła, lecz stanowczo odmówiła. Powiedziała, że będzie spała w poczekalni tak długo, jak długo będzie trzeba, lecz nie zostawi ojca ani na chwilę.

– Kate, musisz jeść – przekonywał ją Peter łagodnie. – W niczym mu nie pomożesz, jeśli i ty zachorujesz. Nic mu się nie stanie przez godzinę. Pojedziesz do mieszkania, położysz się, a pielęgniarka zadzwoni do ciebie w razie potrzeby.

– Twoje przekonywanie nic nie da – odparła uparcie, patrząc na niego jak zbuntowane dziecko. – Zostaję z nim. Dzisiaj śpię tutaj i nie wyjdę stąd, dopóki nie minie niebezpieczeństwo.

Tego się właśnie spodziewał.

– Powinienem pojechać do domu i sprawdzić, co robią chłopcy – mruknął z namysłem, a ona skinęła głową. Nie myślała o dzieciach, siedząc w ponurym korytarzu. – Pojadę do domu, uspokoję ich i wrócę wieczorem – kontynuował, tworząc plan w trakcie mówienia; Katie kiwała głową. – Poradzisz sobie beze mnie? – zapytał łagodnie, choć nawet na niego nie patrzyła.

Wyglądała tak samotnie, gdy wpatrywała się w szybę. Nie mogła sobie wyobrazić świata bez swojego ojca. Przez pierwsze dwadzieścia lat jej życia był dla niej wszystkim. Przez kolejne dwie dekady uważała go za jedną z najważniejszych dla niej osób. Peter był zdania, że Frank jest dla niej jedyną miłością w życiu, swego rodzaju pasją, niemal obsesją, i choć nigdy nie powiedział tego na głos, uważał, że kochała go bardziej niż własne dzieci.

– On wyzdrowieje – dodał miękko, lecz Kate znów się rozpłakała.

Kręciła głową, gdy wychodził, wiedział, że nic więcej nie może dla niej zrobić. Chciała tylko swojego ojca.

Dojechał do Greenwich najszybciej, jak to możliwe w piątkowych korkach, na szczęście synowie byli w domu, przekazał im możliwie delikatnie, że Frank miał atak serca, wszystkich ogromnie to zmartwiło. Pocieszył ich, jak umiał, a gdy Mike zapytał, kiedy to się stało, wyjaśnił, że podczas biznesowego spotkania. Mike chciał jechać do miasta zobaczyć dziadka, lecz Peter uznał, że lepiej będzie zaczekać. Jeśli stan zdrowia Franka się polepszy, najstarszy wnuk mógłby przyjechać do niego z Princeton.

– A co będzie jutro, tato? – zapytał Mike.

Następnego dnia mieli go odwieźć do Princeton i o ile wiedział Peter, wszystko było już niemal gotowe, poza dywanem i narzutą na łóżko, których Kate nie kupiła po południu. Mike mógł się jednak bez nich obejść.

– Zawiozę cię rano. Mama będzie chciała zapewne zostać z dziadkiem.

Zabrał ich na szybką kolację i o dziewiątej wyruszył w drogę powrotną do miasta; zadzwonił do Kate z samochodu. Powiedziała, że stan ojca się nie zmienił, choć jej zdaniem wygląda gorzej niż kilka godzin temu – pielęgniarka uprzedziła ją, że można się tego spodziewać.

Dotarł do szpitala na dziesiątą i został z nią aż do północy, po czym wrócił do Greenwich, by mieć oko na chłopców. O ósmej rano zawiózł Mike'a do Princeton ze wszystkimi jego walizkami, torbami i sprzętem sportowym. Przydzielono mu pokój z dwoma innymi chłopakami, do południa Peter załatwił wszystkie formalności. Uścisnął syna, życzył mu powodzenia i wrócił do Nowego Jorku, by zobaczyć się z Kate i jej ojcem. Dotarł na miejsce tuż przed drugą, był zdumiony tym, co zastał. Frank siedział na łóżku, słaby i zmęczony. Nadal był blady, lecz uczesał włosy, miał na sobie czystą piżamę, a Kate karmiła go zupą niczym dziecko. Była to znacząca poprawa.

– No, no – oświadczył Peter, wchodząc do sali. – Wygląda na to, że niebezpieczeństwo minęło.

Frank uśmiechnął się w odpowiedzi, lecz Peter postanowił zachować ostrożność. Nie mógł zapomnieć słów, które pomiędzy nimi padły, ani tonu, jakim zostały wypowiedziane. Pomimo to cieszył się, że teść wraca do zdrowia.

– Skąd masz taką ładną piżamę? – zapytał.

Frank w niczym nie przypominał mężczyzny, który leżał na podłodze gabinetu we własnych wymiocinach zaledwie dzień wcześniej, Kate uśmiechała się radośnie. Nie musiała zmagać się z tym wspomnieniem ani z okrutnym atakiem i insynuacjami o kupnie i zapłacie.

– Przysłali ją z Bergdorfa – odpowiedziała za ojca z zadowoleniem. – Pielęgniarka powiedziała, że jutro przeniosą tatusia do prywatnej sali, jeśli jego stan będzie się nadal poprawiał. – Była wyczerpana, lecz nie pokazywała tego po sobie. Oddałaby mu całą swoją siłę, całą krew, gdyby mogło mu to pomóc.

– Cóż, to wspaniała nowina – orzekł Peter, a potem dodał, że odwiózł Mike'a do Princeton.

Frank był z tego bardzo zadowolony, chwilę później Kate delikatnie pomogła mu się położyć, by mógł się zdrzemnąć, po czym razem z Peterem wyszli na korytarz. Z jej twarzy natychmiast zniknął ożywiony wyraz, z jakim karmiła ojca. Peter od razu pojął, że coś się stało.

– Tatuś opowiedział mi, co się wczoraj wydarzyło – oświadczyła, patrząc na męża znacząco, gdy spacerowali po korytarzu.

– To znaczy? – Peter był już tym wszystkim zmęczony, nie zamierzał grać z nią w żadne gierki. Nie mógł uwierzyć, że teść przyznał się do swego ataku ani że powtórzył słowa, które skierował do Petera. Frank nigdy nie przepraszał ani nie przyznawał się do błędów, nawet jeśli były oczywiste.

– Dobrze wiesz, co to znaczy. – Przystanęła i spojrzała na niego, zastanawiając się, czy w ogóle go zna. – Powiedział, że mu groziłeś w sprawie przesłuchań, że niemal posunąłeś się do przemocy.

– Słucham? – To było niewiarygodne.

– Powiedział, że nigdy nikt tak do niego nie mówił, że nie chciałeś słuchać głosu rozsądku. To go przerosło i... i wtedy... – Zaczęła płakać, głos uwiązł jej w gardle, zmierzyła go oskarżycielskim spojrzeniem. – Niemal zabiłeś mojego ojca. Zabiłbyś go, gdyby nie był taki silny... i taki przyzwoity... – Odwróciła głowę, nie mogąc dłużej patrzeć na jego twarz, lecz Peter wyraźnie usłyszał jej następne słowa. – Nie wiem, czy będę w stanie ci to wybaczyć.

– W takim razie jest nas dwoje – odparł z nieskrywaną furią. – Sugeruję, byś zapytała ojca, co dokładnie mi powiedział, zanim stracił przytomność. Miało to związek z rzekomym kupieniem mnie wiele lat temu, groził też, że mnie zniszczy, jeśli nie pójdę na te cholerne przesłuchania.

Spojrzał na żonę jasnymi niebieskimi oczami, a ona dostrzegła w nich coś, czego nigdy tam nie było; potem odszedł najszybciej, jak tylko mógł, i wsiadł do windy, a ona nie odrywała od niego wzroku. Nie poszła za nim, lecz to się już nie liczyło. Peter przestał mieć jakiekolwiek wątpliwości odnośnie do tego, komu tak naprawdę była oddana.

Rozdział 11

Frank dochodził do siebie po zawale zaskakująco szybko, po dwóch tygodniach wypisano go do domu. Katie zamieszkała z nim. Peter się nie sprzeciwiał, oboje potrzebowali czasu do namysłu, by zadecydować, co do siebie czują. Nie przeprosiła go za to, co powiedziała w szpitalu, a on nie poruszył już więcej tego tematu. Nie zapomniał jednak. Frank, rzecz jasna, również nie napomknął więcej o fakcie „kupna i zapłaty" za zięcia. Peter zastanawiał się, czy w ogóle to pamiętał.

Zachowywał się serdecznie w stosunku do teścia, gdy go odwiedzał, co starał się czynić regularnie, z uprzejmości i by zobaczyć się z Kate, lecz relacje pomiędzy oboma panami wyraźnie ochłodły. Katie również trzymała Petera na dystans. Była zbyt zajęta ojcem, by poświęcać uwagę nawet Patrickowi. Peter zajmował się synem, gotował mu co wieczór, co nie było dla niego problemem. Starsi chłopcy wyjechali już do szkół. Mike dzwonił parę razy. Szalał za Princeton.

Dokładnie dwa tygodnie po ataku serca Frank znów poruszył temat przesłuchania. Obaj wiedzieli, że pomimo wszystkiego, co się wydarzyło, nadal go nie odwołali. Dzieliło ich od niego ledwie parę dni. Jeśli nie zamierzali prosić o szybszą ścieżkę dla leku, wystąpienie należało odwołać.

– Cóż? – zapytał Frank, opierając się na poduszkach, które Kate właśnie dla niego przygotowała. Był nieskazitelnie ogolony i czysty, jego fryzjer niedawno złożył mu wizytę, by go obciąć. Wyglądał jak reklama prasowa piżam i kosztownych pościeli, a nie człowiek, który o włos uniknął śmierci, lecz mimo to Peter nie chciał go denerwować. – Na czym obecnie stoimy? Co pokazują badania?

Obaj wiedzieli, o co konkretnie pyta.

– Uważam, że nie powinniśmy teraz o tym rozmawiać.

Katie szykowała lunch na dole. Peter nie zamierzał rozpoczynać kłótni z teściem, by potem mierzyć się z dwojgiem Donovanów. Trwał na stanowisku, że dopóki lekarze nie powiedzą inaczej, Vicotec to temat tabu.

– Musimy o tym porozmawiać – zaprotestował Frank. – Do przesłuchania zostało tylko parę dni. Nie zapomniałem – dodał spokojnie.

Peter również nie zapomniał o tym, co usłyszał w biurze. Frank jednak o tym nie wspominał, patrząc na zięcia. Miał misję. Z łatwością można było dostrzec, po kim Kate odziedziczyła upór i wytrwałość.

– Rozmawiałem wczoraj z biurem, według działu badań jesteśmy czyści.

– Z jednym wyjątkiem – wtrącił Peter.

– Pomniejszy test wykonany na szczurach laboratoryjnych w wyjątkowych okolicznościach. Wiem wszystko. Najwyraźniej to nie ma znaczenia, bo warunków określonych w tych testach nie da się powtórzyć na ludziach.

– To prawda – przytaknął Peter, modląc się, by Katie nie weszła i nie przyłapała ich na tej dyskusji – lecz według standardów FDA to nas dyskwalifikuje. Nadal uważam, że nie powinniśmy stawać przed komisją. – Co więcej, nie zdążyli jeszcze powtórnie wykonać wszystkich testów we Francji, a to one były rozstrzygające. – Musimy też jeszcze raz przejrzeć próbkę Sucharda. To tam kryją się prawdziwe wady. Reszta jest rutyną. Musimy powtórzyć wszystkie jego kroki.

– Zdążymy to zrobić, zanim przejdziemy do prób klinicznych, FDA nie musi o niczym teraz wiedzieć. Teoretycznie spełniamy wszystkie wymagania z naddatkiem. Nie chcą od nas niczego więcej niż to, co już mamy. To powinno cię usatysfakcjonować. – Spojrzał na Petera znacząco.

– Usatysfakcjonowałoby. Gdyby Suchard nie znalazł problemu. Skłamalibyśmy, gdybyśmy ukryli ten fakt przed komisją.

– Daję ci słowo – wtrącił Frank, ignorując jego argumenty – że jeśli coś... cokolwiek... choćby najmniejszy problem pojawi się w trakcie dalszych testów, wycofam lek. Nie jestem szaleńcem. Nie chcę ściągnąć na nas wielomiliono-wego pozwu. Nie próbuję nikogo zabić. Nie chcę też jednak zabić nas. Mamy to, czego nam trzeba. Pójdźmy z tym. Je-śli dam ci słowo, że dopilnuję wszystkiego, jeśli dostaniemy zgodę na wcześniejsze próby na ludziach po wszystkich te-stach laboratoryjnych, wystąpisz przed komisją? Peter, jakie szkody może to wyrządzić? Proszę cię...

To było złe, i Peter to wiedział. Przedwczesne i niebez-pieczne. Gdyby uzyskali zgodę na wcześniejsze testy kli-niczne, mogliby od razu zacząć podawać lek ludziom, a nie ufał teściowi na tyle, by mieć pewność, że tego nie zrobi. Nie uważał za istotne, że testy kliniczne to podawanie wyjątkowo małych dawek Vicotecu niewielkiej liczbie ochotników. Jego zdaniem nie należało narażać nawet jednej osoby na niepo-trzebne ryzyko. Znali potencjalne niebezpieczeństwo zwią-zane z zażywaniem Vicotecu i Peter nie zamierzał zignoro-wać ostrzeżeń Sucharda. Inne firmy również miały za sobą przerażające historie produktów zapakowanych do cięża-rówek i czekających tylko na zgodę FDA, by mogły natych-miast trafić na rynek. Peter bał się, że jego teść tak właśnie postąpi w przypadku Vicotecu pomimo potencjalnych prob-lemów. Frank nie wykazywał się w tej sprawie rozsądkiem, możliwości naruszeń były więc ogromne. Naruszeń, które mogły kosztować kogoś życie. Nie mógł tego poprzeć.

– Nie stanę przed komisją – oświadczył smutnym gło-sem. – Dobrze to wiesz.

– To z twojej strony zemsta... za to, co powiedziałem... na miłość boską, przecież wiesz, że nie chciałem.

Pamiętał więc. Czy powiedział tak z okrucieństwa, czy też naprawdę w to wierzył? Peter wiedział, że nigdy się tego nie dowie i nigdy nie zapomni. Nie była to jednak z jego strony zemsta.

– To nie ma nic wspólnego z tą sprawą. To kwestia etyki.

– Bzdury. Czego w takim razie chcesz? Łapówki? Gwarancji? Masz moje słowo, że nie posunę się dalej, jeśli problem nadal będzie występował, gdy zakończymy wszystkie testy. Czego więcej chcesz?

– Czasu. To tylko kwestia czasu – odparł Peter znużony. Donovanowie męczyli go od dwóch tygodni, w zasadzie po namyśle uznał, że męczyli go o wiele dłużej.

– To kwestia pieniędzy. I dumy. I reputacji. Jesteś w stanie skalkulować straty, jeśli wycofamy się teraz z przesłuchania? To wpłynie na inne nasze produkty.

Była to niekończąca się potyczka, żaden z nich nie zamierzał się zgodzić z opinią drugiego. Obaj mieli ponure miny, gdy Katie przyniosła na górę lunch; od razu zrozumiała, że toczyli debatę na zabroniony temat.

– Chyba nie rozmawiacie o interesach? – zapytała.

Obaj pokręcili głowami, lecz Peter miał winę wypisaną na twarzy, przycisnęła go w tej sprawie chwilę później.

– Myślałam, że mu to wynagrodzisz – oświadczyła zagadkowo, gdy stali w kuchni ojca.

– Co mam mu wynagrodzić?

– To, co zrobiłeś. – Nadal była przekonana, że to Peter niemal go zabił, że sprowokował atak serca, denerwując go; nic nie mogło jej nakłonić do zmiany zdania. – Jesteś mu to winien. Przecież nic złego się nie stanie. Dla niego to kwestia zachowania twarzy. Nadstawił karku dla szybkiej ścieżki, a teraz nie chce przyznać, że nie jest gotowy. Nie poda Vicotecu ludziom, jeśli lek jest niebezpieczny. Przecież go znasz. Nie jest głupi ani szalony. Jest za to chory i stary, ma prawo do tego, by nie stracić twarzy w obliczu całego kraju. Mógłbyś mu to dać, gdybyś tylko chciał, gdyby cokolwiek cię obchodził – dodała oskarżycielsko. – To chyba niewielka prośba. A może naprawdę ci na nim nie zależy? Wyznał mi, że powiedział ci tamtego dnia okropne rzeczy. Był zdenerwowany. Wcale tak nie uważa. Pytanie brzmi – zerknęła na męża znacząco – czy masz w sobie na tyle przyzwoitości, by mu wybaczyć. A może będziesz go za to karać, odbierając mu jedyną rzecz, której pragnie? W tym samym czasie występujesz przed Kongresem, mógłbyś też więc pojawić się w siedzibie FDA. Jesteś mu to winien po tym, co zrobiłeś. Sam przecież nie pojedzie. Tylko ty możesz to zrobić.

Sprawiała, że czuł się jak prawdziwy łajdak, nie chcąc tego zrobić. Była gotowa na wszystko, by poczuł się odpowiedzialny za atak serca ojca. Wydawała się też równie jak ojciec przekonana, że Peter mści się za rzeczy, które powiedział Frank. Wszystko to było takie małostkowe i skrzywione.

– To nie ma niczego wspólnego z zemstą, Kate. Sprawa jest o wiele bardziej skomplikowana. Chodzi o moralność, etykę. Frank powinien pragnąć więcej, niż tylko zachować twarz. Jak sądzisz, co powiedzą ludzie, przedstawiciele rządu, gdy dowiedzą się, że przedwcześnie stanęliśmy przed komisją? Nigdy nam już nie zaufają. To może zniszczyć firmę. – Co gorsza, zniszczyłoby jego. Pogwałciłoby wszystkie jego przekonania, wiedział, że nie może tego zrobić.

– Przecież powiedział ci, że wycofa lek, jeśli będzie musiał. Dasz mu tylko chwilę oddechu, stając przed komisją.

W jej ustach brzmiało to jak drobnostka, była o wiele bardziej przekonująca niż ojciec. Sprawiała, że czuł, iż musi to zrobić, jakby sprawa była tak błaha, że nie mogła pojąć, czemu się nie zgadza. Zdołała zaangażować siebie w ten konflikt, czuł przez to, że jest jej to winien, by udowodnić, że nadal ją kocha.

– Prosi cię tylko o kompromis. To wszystko. Jesteś zbyt małostkowy, by to zrobić? Zgódź się... ten jeden raz. To wszystko. On niemal umarł. Zasługuje na to.

Była jak Joanna d'Arc wymachująca flagą; gdy Peter na nią spojrzał, nie wiedzieć czemu zaczął się poddawać. Miał wrażenie, jakby całe jego życie zawisło na włosku. To ona je na nim zawiesiła. Stawka była zbyt wysoka, by mógł się jej dłużej opierać.

– Peterze?

Spojrzała na niego uwodzicielsko, jak kusicielka, którą nigdy nie była, obdarzona nadprzyrodzonymi mocami i mądrością. Nie miał już nawet sił na odpowiedź, a co dopiero na sprzeciw. Bezwiednie skinął głową. Zrozumiała. Sprawa została załatwiona. Wygrała. Zgodził się stanąć przed komisją.

Rozdział 12

Noc przed wyjazdem do Waszyngtonu była dla Petera koszmarem. Nadal nie mógł uwierzyć, że się na to zgodził. Kate była mu za to niewypowiedzianie wdzięczna, stan jej ojca poprawiał się z dnia na dzień, Frank wręcz emanował ciepłem, nie mógł się nachwalić Petera. A Peter czuł się tak, jakby wysłano go na inną planetę, gdzie nic nie było prawdziwe. Jego serce zamieniło się w kamień, a mózg stał się nieważki. Sam nie pojmował, co robi.

Tłumaczył sobie swoje poczynania tak jak Frank. Vicotec był niemal gotowy, ewentualne problemy mogli jeszcze naprawić, zanim lek trafi na rynek. Postępowali jednak niewłaściwie pod względem moralnym i prawnym i wszyscy to wiedzieli. Nie miał wyboru. Obiecał Kate i jej ojcu, że to zrobi. Zadawał sobie tylko pytanie, jak będzie mógł z tym żyć. Czy może to kwestia stopniowego wyzbywania się etyki? Czy gdy już to zrobi, pójdzie na kolejne ustępstwa, będzie nadal naruszał zasady, którym był tak oddany? Byłaby to ciekawa kwestia filozoficzna i gdyby nie przekonanie, że kładzie na szali swoje życie, dogłębnie by ją rozważył. Nie mógł jeść, nie mógł spać. Schudł trzy kilo w parę dni, wyglądał okropnie. Sekretarka zapytała go, czy jest chory, dzień przed jego wyjazdem do Waszyngtonu, lecz tylko pokręcił głową i powiedział, że to przez nawał pracy. Franka nie było, planował zostać w domu jeszcze miesiąc, na barki Petera spadło więc wiele różnych spraw. Występował też przed Kongresem w sprawie cen tego samego dnia, gdy miał stanąć przed komisją FDA.

Został w biurze do późna, przeglądając wyniki ostatnich badań. Wyglądały całkiem dobrze poza jednym drobiazgiem, który niemal idealnie wiązał się z odkryciami dokonanymi przez Sucharda w czerwcu. Peter dobrze wiedział, co ten drobiazg oznacza. Według naukowców była to pomniejsza kwestia, nawet nie zadzwonił do Franka, by mu o tym powiedzieć. Wiedział, co by usłyszał. „Nie martw się tym. Jedź na przesłuchanie, zajmiemy się tym później". Wziął raporty do domu, by przeczytać je jeszcze raz wieczorem, siedział nad nimi do drugiej w nocy. Katie spała w łóżku obok niego. Wróciła do domu, zamierzała nawet pojechać z mężem do Waszyngtonu, kupiła mu z tej okazji nowy garnitur. Byli z ojcem tak zadowoleni z jego kapitulacji, że obojgu znacznie poprawił się humor, odkąd Peter zgodził się dla nich pojechać do Waszyngtonu. Gdy mówił, jaka to dla niego piekielna misja, Katie beształa go, że przesadza. Wolała udawać, że to tylko zdenerwowanie przed wystąpieniem w Kongresie.

O czwartej nad ranem Peter siedział w swoim gabinecie w Greenwich, rozmyślał o ostatnich wynikach i wyglądał przez okno. Żałował, że nie może porozmawiać z kimś, kto lepiej się na tym zna. Nie znał osobiście badaczy z ekip w Niemczech i Szwajcarii, nie miał też najlepszych układów z nowym człowiekiem w Paryżu. Frank zatrudnił go głównie dlatego, że był uległy, na wszystko się zgadzał; trudno było go też zrozumieć, miał tak naukowe podejście do wszystkiego, że dla Petera mógłby równie dobrze mówić po japońsku. Nagle przyszło mu coś do głowy, gdy bawił się wizytownikiem na biurku. Przez chwilę zastanawiał się, czy ma numer w domu, po czym go odnalazł. W Paryżu była dziesiąta, miał więc szansę go zastać. Poprosił go do telefonu po nazwisku, gdy tylko zgłosiła się centrala. Rozległ się podwójny sygnał, przemówiła przyjacielska maszyna, po czym odezwał się znajomy głos.

– Allo?

Był to Paul-Louis. Peter zadzwonił do jego nowej firmy.

– Dzień dobry – przywitał się zmęczonym głosem. U niego była czwarta rano, koniec długiej nocy. Czy Paul-Louis pomoże mu podjąć decyzję, z którą poczułby się

dobrze? To z tego właśnie powodu do niego dzwonił. –
Mówi Benedict Arnold.

– Qui? Allo? Kto mówi? – zapytał zdezorientowany naukowiec.

Peter uśmiechnął się, odpowiadając:

– Zdrajca, którego rozstrzelano dawno temu. Salut,
Paulu-Louisie – przywitał się po francusku – tu Peter
Haskell.

– Ach... d'accord. – Natychmiast zrozumiał. – Zrobisz
to więc? Zmusili cię? – Domyślił się, gdy tylko go usłyszał.

Peter brzmiał okropnie.

– Żałuję, że nie mogę powiedzieć, że mnie zmusili – odparł dzielnie. To właśnie zrobili, lecz był zbyt dobrze wychowany, by powiedzieć to głośno. – Powiedzmy, że sam się
zgłosiłem, z wielu różnych powodów. Frank miał atak serca
trzy tygodnie temu. To wszystko zmieniło.

– Rozumiem. Co mogę dla ciebie zrobić? – Pracował
w konkurencyjnej firmie, żywił jednak wielką sympatię do
Petera. – Czego ode mnie chcesz? – zapytał wprost.

– Chyba rozgrzeszenia, choć nie zasługuję na nie. Właśnie dostałem nowe wyniki badań, chyba są w miarę czyste, jeśli je dobrze rozumiem. Zamieniliśmy dwa składniki,
wszyscy sądzą, że to rozwiązało nasz problem. Widzę też
jednak osobliwe rezultaty, które są dla mnie niejasne, pomy
ślałem, że ty mógłbyś mi naświetlić sprawę. W firmie nie
mogę z nikim szczerze o tym porozmawiać. Chcę wiedzieć,

czy Vicotec kogoś zabije. W zasadzie do tego sprowadza się moje pytanie. Chcę wiedzieć, czy lek nadal jest niebezpieczny, czy też sobie poradziliśmy. Masz czas, by przejrzeć dla mnie wyniki?

Nie miał, lecz był gotów go znaleźć dla Petera. Powiedział sekretarce, by nie łączyła żadnych rozmów, po czym wrócił na linię.

– Prześlij mi je faksem.

Peter tak właśnie zrobił, zapadła długa cisza, gdy Paul-Louis czytał notatki. Przez kolejną godzinę omawiali je na wszystkie strony, Peter odpowiadał na niekończące się pytania, aż w końcu znów zapadła cisza. Paul-Louis podejmował decyzję.

– Widzisz, to bardzo subiektywne. Na tym etapie nie jest to jednoznaczna interpretacja. To dobrze, rzecz jasna. To wspaniały produkt, który zmieni nasze podejście do radzenia sobie z rakiem. Są jednak dodatkowe elementy, które podlegają ocenie. To właśnie ta ocena stanowi problem. W życiu nic nie jest pewne. Nic nie obywa się bez ryzyka ani kosztów. Pytanie brzmi, czy jesteś gotów zapłacić.

Był bardzo francuski w swojej filozofii, lecz Peter go rozumiał.

– Pytanie brzmi, czy wielkie jest to ryzyko.

– Owszem. – To właśnie zaniepokoiło go podczas czerwcowej wizyty Petera w Paryżu. – Nowe wyniki badań są dobre, co do tego nie ma wątpliwości. Jesteście na

właściwej drodze... – Urwał, marszcząc brwi, zapalił papie-
rosa. Wszyscy naukowcy, których Peter poznał w Europie,
byli palaczami.

– Lecz jeszcze nie dotarliśmy do celu? – zapytał Peter
z wahaniem, obawiając się odpowiedzi.

– Nie... jeszcze nie... – przyznał Suchard ze smutkiem. –
Być może stanie się to wkrótce, jeśli będziecie kontynuować
prace w tym kierunku. Jeszcze tam jednak nie dotarliście.
Moim zdaniem Vicotec nadal jest potencjalnie niebezpieczny, zwłaszcza w niedoświadczonych rękach.

A dla takich rąk lek był przeznaczony. Dla laików, nawet
do użytku domowego. Pacjenci mieli dzięki niemu zostać
w domu na chemioterapię, zamiast jechać do szpitala lub
przychodni.

– Czy to wciąż zabójca, Paulu-Louisie? – Tak właśnie
naukowiec nazwał lek w czerwcu. Peter wciąż słyszał w głowie te słowa.

– Sądzę, że tak – padła wyraźna odpowiedź, w której
pobrzmiewała przepraszająca nuta. – To jeszcze nie to, Peterze. Potrzebujecie czasu.

– A przesłuchania?

– Kiedy masz się stawić?

Peter zerknął na zegarek. Była piąta rano.

– Za dziewięć godzin. Dziś o drugiej. Za dwie godziny
wyjeżdżam z domu. – Leciał samolotem o ósmej, o jedenastej występował przed Kongresem.

– Nie zazdroszczę ci, przyjacielu. Niewiele mogę ci powiedzieć. Jeśli chcesz być szczery, musisz powiedzieć im, że będzie to cudowny lek, lecz jeszcze nie jest gotowy. Prace trwają.

– Nie staje się przed komisją FDA, by mówić takie rzeczy. Prosimy o zgodę na wcześniejsze testy kliniczne na bazie wyników naszych testów laboratoryjnych. Frank chce wypuścić lek na rynek, gdy tylko uda nam się pozytywnie przejść testy na ludziach i uzyskać zgodę FDA.

Suchard zagwizdał.

– To przerażające. Dlaczego tak naciska?

– W styczniu chce przejść na emeryturę. Przedtem zamierza domknąć sprawę. Miał to być jego pożegnalny dar dla ludzkości. Mój także. Tymczasem wydaje mi się, że siedzimy na bombie zegarowej.

– Bo tak jest, Peterze. Musisz to wiedzieć.

– Wiem. Nikt inny nie chce tego słyszeć. Frank twierdzi, że wycofa lek do końca roku, jeśli nie będziemy gotowi do prób na ludziach. Mimo to nalega, bym pojechał do Waszyngtonu. Szczerze mówiąc, to długa historia.

Opowiadała o ego starego człowieka i ryzyku wkalkulowanym w wielomiliardowy biznes. W tym jednak wypadku kalkulacje Franka były błędne, ponieważ bazowały na jego ego. Zamierzali wykonać niebezpieczny krok, który mógłby zniszczyć firmę, lecz Frank tego nie dostrzegał. Peter widział to wyraźnie, lecz Frank był uparty do granic absurdu.

Może się starzał, może władza uderzyła mu do głowy. Peter nie rozumiał jego motywów.

Podziękował Paulowi-Louisowi za pomoc, Francuz życzył mu powodzenia. Gdy odłożył słuchawkę, poszedł zaparzyć kawę. Wciąż mógł się wycofać, nie wiedział jednak, jak to zrobić. Mógł też pojechać na przesłuchania, a potem zrezygnować z pracy w Wilson-Donovan, lecz nie ochroniłby tym ludzi, którym próbował pomóc, a naraziłby ich na ryzyko. Problem polegał na tym, że nie wierzył, by Frank zrezygnował z prób na ludziach, nawet jeśli wyniki badań laboratoryjnych nie poprawią się radykalnie w najbliższej przyszłości. Coś podpowiadało Peterowi, że teść gotów jest zaryzykować. Za dużo pieniędzy można było na tym zarobić, niezależnie od niebezpieczeństwa, na jakie narażono by przy tym ludzkie życie. Pokusa była nie do odparcia.

Katie musiała usłyszeć, jak mąż kręci się po domu, bo weszła do kuchni, zanim zadzwonił budzik. Peter siedział przy stole z głową w dłoniach, pił drugą filiżankę kawy. Nigdy nie widziała go w takim stanie, wyglądał gorzej niż jej ojciec tuż po zawale.

– Czym się tak martwisz? – zapytała, kładąc mu dłoń na ramieniu.

Nie potrafił jej tego wyjaśnić, wiedział, że nie zrozumie, nie będzie chciała zrozumieć.

– Zanim się zorientujesz, będzie po wszystkim.

W jej ustach brzmiało to jak leczenie kanałowe, a nie naruszenie wszystkich zasad, w które wierzył. Jego etyka, zasady moralne stanęły pod znakiem zapytania, a ona tego nie dostrzegała. Zmierzył ją nieszczęśliwym spojrzeniem, gdy usiadła naprzeciwko, wyglądała schludnie i zimno w różowej koszuli nocnej.

– Robię to z niewłaściwych powodów, Kate. Nie dlatego, że jest to słuszne, nie dlatego, że jesteśmy gotowi. Robię to dla ciebie i dla twojego ojca. Czuję się jak zabójca z mafii.

– Mówisz okropne rzeczy. – Zerknęła na niego z irytacją. – Jak możesz posuwać się do takich porównań? Robisz to, ponieważ wiesz, że tak trzeba, jesteś to winien mojemu ojcu.

Odchylił się na oparcie krzesła, spojrzał na nią, zastanawiając się, jaka czeka ich przyszłość przy takim tempie zmian. Nijaka, z tego, co widział. Rozumiał, jak musiała się czuć Olivia, gdy mówiła, że sprzedała się Andy'emu. Było to życie zbudowane na kłamstwach i fałszywych pozorach. A także, w jego przypadku, na szantażu.

– Dlaczego oboje uważacie, że jestem wam coś winien? – zapytał spokojnie. – Twój ojciec jest przekonany, że mnóstwo mu zawdzięczam. Wydaje mi się, że przez te wszystkie lata była to uczciwa wymiana: ja pracuję ciężko dla firmy, on mi za to płaci. A ciebie i mnie łączy prawdziwe małżeństwo, tak przynajmniej myślałem. Ostatnio jednak wciąż słyszę o tych wyimaginowanych długach. Dlaczego myślicie, że jestem wam „winien" stawienie się przed komisją?

– Dlatego – stąpała po kruchym lodzie, wiedziała, że to potencjalne pole minowe – że firma przez dwadzieścia lat była dla ciebie dobra, a to jest sposób, by się jej odpłacić: obrona produktu, który może nam przynieść miliardy.

– O to w tym wszystkim chodzi? O pieniądze? – Pozieleniał na twarzy, zadając to pytanie. Dla tego właśnie się sprzedawał? Dla miliardów. Przynajmniej nie okazałem się tani, pomyślał, krzywiąc się bezwiednie.

– Częściowo. Nie zgrywaj niewinnego, Peterze. Przecież partycypujesz w naszych zyskach. Wiesz, po co to robimy. Pamiętaj o dzieciach. Co by się z nimi stało? Zrujnowałbyś także ich życie? – Była taka zimna, wyrachowana i twarda. Tyle mówiła o ojcu, a zależało jej na pieniądzach.

– Zabawne. A ja myślałem, że pracujemy dla dobra ludzkości lub choćby po to, by ratować życie. To mną kierowało, to dlatego naciskałem na rozwój produktu przez ostatnie cztery lata. Nie chciałem jednak dla niego kłamać, nawet wtedy. Jestem jeszcze mniej do tego skłonny, gdy słyszę, że to dla pieniędzy.

– Zamierzasz się teraz wycofać? – zapytała z przerażoną miną. Pojechałaby na przesłuchanie osobiście, gdyby tylko mogła. Nie była jednak pracownikiem firmy, a ojciec był na to zbyt chory, wszystko spoczywało w rękach Petera. – Zastanowiłabym się poważnie na twoim miejscu, zanim bym się wycofała – oświadczyła, wstając i patrząc na niego z góry. – Ostrzegam uczciwie, że jeśli teraz stchórzysz, twoja świetlana przyszłość w Wilson-Donovan stanie pod znakiem zapytania.

– A nasze małżeństwo? – zapytał; igrał z ogniem i wiedział to.

– Sprawa jest otwarta – odparła cicho. – Uznałabym to jednak za najgorszą zdradę.

Wiedział, że mówi poważnie, lecz nagle poczuł się lepiej, patrząc na nią. Była taka szorstka i zdecydowana, zawsze taka była, choć on nie zawsze to dostrzegał.

– Cieszę się, że poznałem twoje stanowisko w tej sprawie, Kate – odparł spokojnie.

Ich oczy spotkały się nad kuchennym stołem, stali po obu jego stronach. Nie zdołała niczego dodać, bo Patrick zszedł na śniadanie.

– Co tu robicie tak wcześnie? – zapytał zaspanym głosem.

– Jedziemy dziś z matką do Waszyngtonu – odparł Peter stanowczo.

– Och, zapomniałem. Dziadek też jedzie? – Patrick ziewnął i nalał sobie mleka do szklanki.

– Nie, zdaniem lekarza to jeszcze za wcześnie – wyjaśnił Peter.

Frank zadzwonił parę minut później. Chciał złapać Petera przed wyjściem, przypomnieć mu, co ma powiedzieć w Kongresie w sprawie cen. Rozmawiali już o tym tuzin razy w ostatnich dniach, lecz chciał mieć pewność, że Peter będzie się trzymał określonych wytycznych.

– Niczego, a już na pewno Vicotecu, nie będziemy rozdawać za darmo. Nie zapominaj o tym – przypomniał Peterowi surowo.

Nawet jego przekonania co do poziomu ceny Vicotecu przeczyły wszystkiemu, w co wierzył Peter.

Kate obrzuciła go uważnym spojrzeniem, gdy wrócił do stołu.

– Wszystko w porządku?

Uśmiechnęła się, gdy skinął głową. Po chwili oboje poszli się ubrać, a pół godziny później pojechali na lotnisko.

W drodze Peter wydawał się zdumiewająco spokojny, rzadko odzywał się do Kate. Najpierw ją to przeraziło, lecz potem doszła do wniosku, że musi być zdenerwowany. Obawiała się, że się wycofa, lecz teraz była pewna, że tego nie zrobi. Peter zawsze doprowadzał sprawę do końca.

La Guardię od National Airport dzielił krótki lot, Peter poświęcił go na przejrzenie papierów. Miał kilka plików na temat ustalania cen i nowe raporty w sprawie Vicotecu. Uwagę skupił przede wszystkim na fragmentach, na które uczulił go rankiem Suchard. Kwestią leku martwił się o wiele bardziej niż wystąpieniem w Kongresie.

Kate zadzwoniła z samolotu do ojca, by zapewnić go, że wszystko idzie zgodnie z planem. W Waszyngtonie czekała już na nich limuzyna, która zawiozła ich do siedziby Kongresu. Gdy tylko się tam znaleźli, Petera ogarnął spokój. Wiedział mniej więcej, co powie, nie czuł lęku.

Dwoje asystentów czekało już na niego w holu, zaprowadzono go do sali konferencyjnej i zaproponowano mu filiżankę kawy. Kate usiadła obok niego, lecz chwilę później podeszła do niej asystentka i zaprowadziła ją na galerię, by stamtąd mogła obserwować męża. Życzyła mu powodzenia, dotknęła jego dłoni, lecz go nie pocałowała. Kilka minut później wprowadzono go na salę obrad, przez chwilę odczuwał przerażenie. Nieważne, jak dobrze był przygotowany, spotkanie twarzą w twarz z ludźmi rządzącymi krajem i przedstawienie im swojej opinii było wyjątkowym przeżyciem. Stawał przed nimi dopiero po raz drugi, za pierwszym razem głos zabierał tylko Frank. Teraz miało być zupełnie inaczej.

Zaprowadzono go do stołu dla świadków i zaprzysiężono. Członkowie podkomisji siedzieli naprzeciwko niego przed mikrofonami; gdy podał swoje nazwisko i nazwę firmy, posypały się pytania, odpowiedzi kongresmeni słuchali z wyraźnym zainteresowaniem.

Pytano go dokładnie o niektóre leki oraz o jego opinię na temat wyjątkowo wygórowanych cen. Próbował wymieniać logiczne powody takiej sytuacji, choć nawet w jego uszach wyjaśnienia brzmiały płytko i poniekąd bezcelowo. Prawda była taka, że firmy produkujące te leki zarabiały fortunę na zawyżonych cenach, a członkowie Kongresu o tym wiedzieli. Wilson-Donovan również był temu winien, choć jego praktyki i zyski nie były aż tak rażące jak innych firm.

Następnie poruszono kwestie ubezpieczeniowe, a na sam koniec kongresmen z Idaho napomknęła, iż słyszała, że Peter ma się pojawić tego samego dnia przed komisją FDA z prośbą o zgodę na wcześniejsze próby na ludziach dla nowego produktu. Poprosiła o zwięzłą informację na ten temat, by poznać najnowsze osiągnięcia na tym polu.

Peter wyjaśnił w najprostszych słowach, nie wdając się w szczegóły i nie zdradzając żadnych tajemnic, że nowy lek odmieni oblicze chemioterapii, udostępni ją laikom, którzy nie będą potrzebowali profesjonalnej pomocy. Matki będą mogły podawać chemię dzieciom, mężowie żonom, będzie ją można nawet aplikować samemu sobie. Odkrycie miało zrewolucjonizować opiekę nad pacjentami z nowotworami, umożliwić zwykłym ludziom leczenie siebie lub członków rodziny na terenach wiejskich i w miastach, gdziekolwiek zajdzie taka potrzeba.

– Czy „zwykłego człowieka", jak go pan określił, będzie na to stać? Myślę, że to kluczowa kwestia – zapytała inna kongresmen, a Peter skinął głową.

– Mamy taką nadzieję. Jednym z naszych celów jest takie obniżenie ceny Vicotecu, by mógł być dostępny dla wszystkich potrzebujących. – Ze spokojem i przekonaniem wymówił te słowa, kilka osób kiwnęło głowami z aprobatą. Okazał się dysponującym ogromną wiedzą, bezpośrednim i rzetelnym świadkiem.

Chwilę później podziękowano mu i został zwolniony, członkowie panelu uścisnęli mu dłoń, życzyli mu też powodzenia na popołudniowym przesłuchaniu w sprawie cudownego leku. Peter był zadowolony, gdy opuszczał salę obrad, wrócił do sali konferencyjnej odprowadzany przez asystenta. Chwilę później dołączyła do niego Katie.

– Dlaczego tak powiedziałeś? – zapytała szeptem z wyraźnym niezadowoleniem, gdy zbierał papiery.

Nie pogratulowała mu, nawet nie powiedziała, że dobrze mu poszło. Usłyszał to od obcych ludzi, a żona zerkała na niego z ledwie skrywaną dezaprobatą. Patrząc na nią, czuł się tak, jakby stał przed Frankiem.

– W twoich ustach zabrzmiało to tak, jakbyśmy zamierzali rozdawać Vicotec za darmo. Przecież wiesz, że nie takie wrażenie chciał wywrzeć tutaj tatuś. To będzie drogi lek. Musi taki być, jeśli mamy odzyskać zainwestowane pieniądze i zarobić na nim tyle, na ile zasłużyliśmy. – Jej oczy miały wyrachowany, twardy wyraz.

– Nie rozmawiajmy teraz o tym – odparł, podnosząc aktówkę; podziękował asystentom za pomoc, po czym wyszedł z budynku.

Kate szła tuż za nim. Nie miał jej nic do powiedzenia. Niczego nie rozumiała. Dostrzegała tylko zyski z leków, które sprzedawali, lecz nie serce, rozumiała słowa, lecz nie ich znaczenie. Nie ośmieliła się jednak naciskać. Szczęśliwie przezwyciężył pierwszą przeszkodę, czekała go jednak znacznie poważniejsza próba przed komisją FDA. Do jego przesłuchania została nieco ponad godzina, gdy wsiadali do limuzyny.

Kate zasugerowała, by pojechali na lunch, lecz Peter pokręcił głową. Myślał o tym, co właśnie mu powiedziała na temat wystąpienia w Kongresie. Jej zdaniem, pokpił sprawę. Zawiódł, nie trzymał się wytyczonej ścieżki, która zakładała wycenianie Vicotecu i innych leków ich produkcji najwyżej, jak to możliwe, aby czerpali ogromne zyski i zadowolili tym jej ojca. Cieszył się, że powiedział to, co powiedział. Zamierzał walczyć do upadłego w następnych miesiącach, by utrzymać niską cenę Vicotecu. Frank nie miał pojęcia, jaka zażarta potyczka go czeka.

Ostatecznie zjedli kanapki z pieczoną wołowiną w limuzynie i popili je kawą z papierowych kubków. Peter znów wydał się Kate zdenerwowany, gdy samochód zatrzymał się przed siedzibą FDA przy Fishers Lane 5600 w Rockville w stanie Maryland. Podróż z Kapitolu zajęła im pół godziny. Gdy dotarli na miejsce, ujrzeli nieładny budynek, w którym rozstrzygano o bardzo istotnych kwestiach – tylko o tym Peter mógł myśleć. Wciąż myślał o tym, co się tu dziś wydarzy. Po co tu przyjechał. Co obiecał Frankowi i Kate. Obietnica ta nie przyszła mu łatwo, przyjazd tutaj okazał się jeszcze trudniejszy, Peter miał bowiem świadomość, że ukrywa niebezpieczną wadę przed FDA, obiecując, że lek będzie gotowy do udostępnienia niczego niepodejrzewającemu społeczeństwu. Mógł się tylko modlić, by Frank dotrzymał swojej części umowy i wycofał produkt, jeśli zajdzie taka potrzeba.

Miał wilgotne dłonie, gdy wszedł do sali przesłuchań, był zbyt zdenerwowany, by zważać na swoją publiczność. Nie powiedział ani słowa do Katie, gdy ta go zostawiła, by zająć wyznaczone jej miejsce. W zasadzie całkiem o niej zapomniał. Czekało go ważne zadanie, miał poświęcić ideały i wyzbyć się zasad. Mimo to wiedział, że jeśli lek zadziała, ocalą wiele istnień lub chociaż znacznie je przedłużą. Był to dla niego potworny dylemat, wiedział, co ma zamiar zrobić, lecz zdawał też sobie sprawę, jak bardzo potrzebny jest taki lek.

Nie został zaprzysiężony, lecz w obliczu FDA prawda była jeszcze istotniejsza. Rozejrzał się wokół, zakręciło mu się w głowie. W końcu pojął, co musi zrobić. Wkrótce będzie po wszystkim. Miał tylko nadzieję, że zdrada wobec ludzi, którym zamierzał tylko pomóc, zajmie nie więcej niż parę minut, choć obawiał się, że potrwa to znacznie dłużej.

Jego dłonie zaczęły drżeć, gdy czekał, aż komisja doradcza zacznie zadawać pytania. Było to najbardziej przerażające doświadczenie w jego życiu, wystąpienie przed Kongresem nie mogło się z nim równać. Tamto było takie nieszkodliwe i proste w porównaniu z tym. Zeznawanie przed FDA wydawało się o wiele bardziej złowieszcze, stawka była wyższa, wielka odpowiedzialność spoczywała na jego barkach. Wciąż powtarzał sobie, że musi tylko przez to przejść. Nie może pozwolić sobie na myślenie o nikim: ani o Kate, ani o Franku, ani o Suchardzie, ani nawet o raportach, które czytał. Musi wstać i przemówić w sprawie Vicotecu, przecież wiedział o nim wszystko. Siedział przy długim, wąskim stole i czekał, coraz bardziej się denerwując.

Pomyślał o Katie, o wszystkim, co poświęcał dla niej i dla jej ojca. Zrezygnował dla nich ze swoich zasad, swojej odwagi. Nikomu nie był „winien" aż tyle, na pewno nie jej ani jej ojcu.

Znów zmusił się do zignorowania tych myśli, zebrał się w sobie, gdy przemówił przewodniczący komisji. Kręciło mu się w głowie, gdy zadawali mu bardzo dokładne, techniczne pytania o powód, dla którego się tu stawił. Wyjaśnił zwięźle i rzeczowo silnym głosem, że prosi o zgodę na próby na ludziach produktu, który jego zdaniem odmieni życie znaczącej grupy Amerykanów cierpiących na nowotwory. Wśród członków komisji zapanowało poruszenie, rozległ się szelest papierów, wszyscy spoglądali na niego z zainteresowaniem, gdy zaczął opisywać Vicotec i możliwości jego użytkowania przez pacjentów w dowolnych okolicznościach. W zasadzie powtórzył to, co zeznał rankiem przed Kongresem. Różnica polegała na tym, że tych ludzi nie olśnił pokazem kuglarskiej medycyny. Domagali się najbardziej skomplikowanych szczegółów i byli w stanie je zrozumieć. Po jakimś czasie, gdy rzucił okiem na zegar na ścianie, uświadomił sobie ze zdumieniem, że przemawia już od godziny. W końcu padło ostatnie pytanie.

– Czy naprawdę wierzy pan, panie Haskell, że Vicotec jest gotów do testów na ludziach, nawet w małych dawkach na ograniczonej liczbie ochotników, którzy rozumieją podejmowane przez siebie ryzyko? Czy naprawdę wierzy pan, że dobrze ocenili państwo jego właściwości i ryzyko z nim związane? Czy może pan dać nam słowo, że produkt ten jest obecnie gotowy do prób na ludziach?

Usłyszał wyraźnie to pytanie, spojrzał w twarz człowiekowi, który je zadawał, i zrozumiał, jak musi odpowiedzieć. Właśnie po to tu przyjechał. Była to kwestia jednego słowa, zapewnienia ich, że Vicotec jest wszystkim tym, o czym opowiedział, wszystkim tym, czym byli przekonani, że będzie. Musiał tylko obiecać tym strażnikom amerykańskiego bezpieczeństwa publicznego, że Vicotec nikogo nie skrzywdzi. Gdy rozglądał się po sali i myślał o tych wszystkich ludziach, ich mężach i żonach, matkach i dzieciach, nieograniczonej liczbie osób, do których dotrze Vicotec, pojął, że nie może tego zrobić. Ani dla Franka, ani dla Kate, ani dla nikogo innego. Przede wszystkim nie dla siebie. Zrozumiał, że nie powinien był tu przyjeżdżać. Niezależnie od tego, ile go to kosztowało, co wszyscy mówili, co mogli mu odebrać lub czym mu zagrozić Donovanowie, nie mógł tego zrobić. Nie mógł okłamać tych ludzi w sprawie Vicotecu ani żadnej innej. Nie był takim człowiekiem. Doskonale rozumiał, co zaraz zrobi. Wiedział z całkowitą pewnością, że całe jego życie kończy się właśnie w tej chwili, straci pracę, żonę, a może nawet synów, chyba że będzie mieć szczęście. Byli już prawie dorośli, być może zrozumieją decyzję ojca. Jeśli tego nie zaakceptują, nie przyznają, że zasady moralne są warte każdej ceny, oznaczać to będzie, że źle ich wychował.

Niezależnie od kosztów był gotów zapłacić za uczciwość wobec amerykańskiego społeczeństwa.

– Nie, proszę pana, nie mogę – oświadczył stanowczym głosem. – Jeszcze nie mogę dać panu słowa. Mam jednak nadzieję, że wkrótce będzie to możliwe. Myślę, że opracowaliśmy jeden z najdoskonalszych produktów farmaceutycznych, jakie widział świat, rozpaczliwie potrzebny pacjentom z nowotworami we wszystkich zakątkach globu. Nie mogę jednak potwierdzić, że lek jest całkowicie pozbawiony ryzyka.

– W takim razie nie może pan oczekiwać, byśmy wydali zgodę na pierwszą fazę testów na ludziach, prawda, panie Haskell? – zapytał przewodniczący komisji doradczej ze zdezorientowaną miną.

Wśród członków komisji zapanowało niemałe poruszenie, gdy pytali siebie nawzajem, po co Peter przyjechał. Przesłuchania przed FDA nie były zazwyczaj wykorzystywane jako forum do zachwalania niedokończonych produktów. Podziwiali jednak jego uczciwość, choć nie wiedzieli, by kiedykolwiek była kwestionowana. Tylko jedną twarz na sali wykrzywiła furia. Druga taka czekała na niego w domu, jeszcze nie wiedząc o jego zdradzie.

– Czy wnioskuje pan o wyznaczenie daty kolejnego przesłuchania, panie Haskell? To chyba lepsze rozwiązanie niż zabieranie nam teraz czasu. – Mieli zapełniony kalendarz. Peter występował tego popołudnia pierwszy, inni już czekali na korytarzu.

– Proszę o wyznaczenie daty. Sześć miesięcy to realny okres. – Będą musieli się sprężać, lecz ze słów Paula-Louisa wynikało, że zdążą.

– W takim razie dziękuję panu za przybycie. – Po tych słowach przesłuchanie się zakończyło.

Peter wyszedł z sali na drżących nogach, plecy miał jednak wyprostowane, głowę trzymał wysoko, znów czuł się jak przyzwoita istota ludzka. Pozostała już tylko jedna kwestia, wiedział o tym. Kate czekała na niego w oddali, podszedł do niej. Nie wyobrażał sobie, by mogła mu wybaczyć. Na jej policzkach błyszczały łzy, nie był pewien, czy to wyraz gniewu, czy rozczarowania, nie zaoferował jej żadnej pociechy.

– Przykro mi, Kate. Nie planowałem tego. Nie wyobrażałem sobie, co poczuję, gdy stanę przed nimi, by ich po prostu okłamać. To imponująca widownia. Nie mogłem tego zrobić.

– Nie prosiłam cię o to – skłamała. – Chciałam tylko, byś nie zdradzał mojego ojca. – Spojrzała na niego ze smutkiem. To był koniec, wiedziała to. Dla nich obojga. Nie był gotów pójść dla niej na kompromis, zrezygnować ze swoich przekonań. Nie uświadamiał sobie, jak daleko zaszło to wszystko aż do tej chwili. – Rozumiesz, co właśnie zrobiłeś? – dodała nieprzyjemnym tonem, gotowa bronić do upadłego ojca, lecz nie męża.

– Domyślam się. – Przecież dała mu to jasno do zrozumienia rankiem przy kuchennym stole w ich domu w Greenwich. Nawet się nie wzdrygnął. W pewien osobliwy sposób tego właśnie pragnął. Wolności.

– Jesteś uczciwym człowiekiem – powiedziała, patrząc na niego. W jej ustach zabrzmiało to jak oskarżenie. – Lecz nie jesteś zbyt mądry.

Skinął głową, a gdy się odwróciła i odeszła, nie oglądając się za siebie, nie podążył za nią. Ich małżeństwo skończyło się już dawno temu, choć żadne z nich tego nie dostrzegało. Zaczął się zastanawiać, czy w ogóle kiedykolwiek była jego żoną, czy może należała tylko do ojca.

Myślał o wielu kwestiach, opuszczając siedzibę FDA w Rockville. Kate już zniknęła razem z limuzyną, zostawiła go samego w Maryland, pół godziny drogi od Waszyngtonu. Nie przejął się tym. Wcale. Był to jeden z najważniejszych dni jego życia, czuł, że mógłby unieść się w przestworza. Został wystawiony na próbę i uważał, że wyszedł z niej zwycięsko... Czy może pan dać nam słowo?... Nie, nie mogę. Nadal nie mógł uwierzyć w to, co zrobił, nie wiedział, czemu nie odczuwa wyrzutów sumienia z powodu Kate. Stracił właśnie żonę, pracę, dom. Stawił się przed Kongresem rankiem, a po południu przed FDA jako prezes międzynarodowej korporacji i wyszedł z niczym, bez pracy i sam. Nie pozostało mu nic oprócz jego zasad i świadomości, że się nie sprzedał. Dokonał tego!

Gdy tak stał, uśmiechając się do siebie, wpatrzony we wrześniowe niebo, usłyszał tuż za sobą głos. Był osobliwie znajomy, miał w sobie pieszczotliwą nutę, która przywiodła wspomnienie innego czasu, innego miejsca. Gdy się odwrócił ze zdumieniem w oczach, zobaczył przed sobą Olivię.

– Co ty tu robisz? – zapytał, rozpaczliwie pragnąc wziąć ją w ramiona, lecz jednocześnie obawiając się tego. – Myślałem, że jesteś we Francji, piszesz.

Jego oczy upajały się nią niczym winem, spoglądała na niego z uśmiechem. Miała na sobie czarne spodnie i sweter, na ramiona zarzuciła czerwony żakiet. Wyglądała jak żywa reklama czegoś bardzo francuskiego, mógł myśleć tylko o nocy, gdy śledził ją, jak opuszczała plac Vendôme, i wszystkim, co wydarzyło się podczas jego pobytu w Paryżu, podczas tych pięciu dni, które na zawsze odmieniły ich życie. Była jeszcze piękniejsza, gdy na nią patrzył, uświadomił sobie, jak rozpaczliwie za nią tęsknił.

– Całkiem udane wystąpienie – powiedziała, uśmiechając się szerzej.

Była z niego dumna, lecz nie odpowiedziała na jego pytanie. Przyjechała, by go wspierać, choćby z ukrycia, podczas przesłuchania. Przeczytała o przesłuchaniach w „Herald Tribune" w Europie. Nie była pewna dlaczego, lecz musiała tu być. Wiedziała, ile znaczy dla niego Vicotec, ile kłopotów sprawiał lek, gdy się widzieli po raz ostatni. Pragnęła tu być. Brat powiedział jej, gdzie odbędą się przesłuchania, i zdobył dla niej wejściówkę. Cieszyła się, że podążyła za głosem instynktu. Edwin poinformował ją też o posiedzeniu komisji

Kongresu, tam również rankiem widziała Petera. Siedziała cichutko u boku brata. Zastanowiło go jej nagłe zainteresowanie przemysłem farmaceutycznym, lecz nie zadawał żadnych pytań.

– Jesteś odważniejszy, niż myślisz – przypomniała Peterowi, patrząc mu w oczy.

Powoli przyciągnął ją do siebie, zastanawiając się, jak przetrwał bez niej te trzy i pół miesiąca. Nie wyobrażał sobie, by mógł ją znów zostawić, nawet na chwilę.

– Nie, to ty jesteś odważna – szepnął, mierząc ją pełnym podziwu spojrzeniem.

Zrezygnowała ze wszystkiego, odeszła, nie zgadzając się na kompromis. Nagle uświadomił sobie, że właśnie postąpił tak samo. Zrezygnował z żony, z pracy, ze wszystkiego dla tego, w co wierzył. Oboje byli wolni. Zapłacili za to ogromną cenę, musiał przyznać, lecz oboje wiedzieli, że było warto.

– Jakie masz plany na popołudnie? – zapytał z uśmiechem. Miał tyle pomysłów... Pomnik Waszyngtona... Mauzoleum Lincolna... spacer nad Potomakiem... pokój w hotelu lub po prostu trwanie w objęciach i przyglądanie się jej przez całą wieczność... albo lot do Paryża.

– Nie mam żadnych planów. – Uśmiechnęła się. – Przyjechałam się z tobą zobaczyć – wyjaśniła miękko. Nie spodziewała się, że zdoła z nim porozmawiać, chciała tylko obserwować go z dystansu. – Jutro rano wracam. – Nawet rodziców nie poinformowała o swoim przyjeździe, tylko

Edwina, a on obiecał, że im nie powie. Pragnęła tylko zobaczyć Petera na minutę lub dwie, nawet gdyby miał się o tym nigdy nie dowiedzieć.

– Dasz się zaprosić na kawę? – zapytał.

Oboje uśmiechnęli się na wspomnienie placu Zgody, ich pierwszego wspólnego wieczoru na Montmartrze. Wziął ją za rękę i razem zeszli po schodach ku wolności.

Od pierwszego wejrzenia

Timmie przeszła w życiu długą drogę. Nieszczęśliwe dzieciństwo i trudne początki dały jej siłę, by wspiąć się na sam szczyt. Dzięki talentowi i determinacji została słynną projektantką mody.

Za sukces zawodowy zapłaciła jednak wysoką cenę. Uczucia zawsze spychała na dalszy plan, mimo że coraz bardziej doskwierała jej samotność. I wtedy na jej drodze pojawił się Jean-Charles.

Okazało się jednak, że na jej ukochanym ciążą zobowiązania z przeszłości, kochanków dzielą kontynenty, a los skrywa przed nimi niejedną niespodziankę.

Co zrobić, gdy trzeba wybierać pomiędzy sercem a rozumem? Jak wiele można poświęcić w imię miłości?

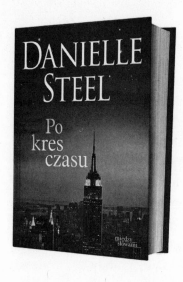

Po kres czasu

Czy wierzysz, że jeśli dwie osoby są sobie przeznaczone, to zawsze i wszędzie się odnajdą? Czy wierzysz, że naprawdę kochamy tylko raz?

Jenny od pierwszego spotkania z Billem czuła, że z tym mężczyzną spędzi resztę życia. I kiedy po kilku latach małżeństwa stanęła wobec trudnego wyboru między karierą a rodziną, nie wahała się ani przez chwilę. Jej decyzja jednak nie pozostała bez konsekwencji.

Czterdzieści lat później w ręce Roberta wpada książka napisana przez tajemniczą Lillibet. Mężczyzna zakochuje się w powieści... a także w dziewczynie, której nigdy nawet nie widział. Kiedy się spotkają, prawda o jej pochodzeniu wprawi Roberta w zdumienie.

Dwie pary, cztery dekady i łącząca je tajemnica.

między_
słowami

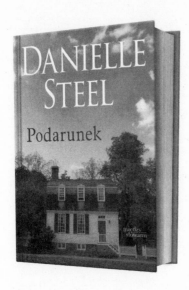

Podarunek

Maribeth jest nie tylko uroczą i śliczną dziewczyną, jest też niezwykle ambitna i pracowita. Marzy, aby wyrwać się z małego miasteczka, skończyć studia. Niestety popełnia błąd i obdarza zaufaniem niewłaściwą osobę. Nowa sytuacja zmusza ją do zmiany życiowych planów.

Bez wsparcia rodziny, zdana tylko na siebie, rezygnuje z marzeń i podejmuje pracę jako kelnerka. Wtedy na jej drodze staje Tommy.

Chłopak składa jej niecodzienną propozycję...

Czy Maribeth powinna mu zaufać?
Czy szczęście to zrealizowane marzenia?

między_
słowami